Rainer Werner Fassbinder

Argon

Dichter
Schauspieler
Filmemacher

Rainer Werner Fassbinder

Werkschau
28. 5. — 19. 7. 1992

Herausgegeben von der
Rainer Werner Fassbinder
Foundation

Argon

Rainer Werner Fassbinder Werkschau

Eine Veranstaltung der Rainer Werner Fassbinder Foundation
in Zusammenarbeit mit dem Deutschen Filmmuseum, Frankfurt/M.
und der Stiftung Deutsche Kinemathek, Berlin

Schirmherrschaft	Ulrich Roloff-Momin, Senator für Kulturelle Angelegenheiten, Berlin
	Hinrich Enderlein, Minister für Wissenschaft, Forschung und Kultur
	des Landes Brandenburg
	Heiner Müller, Dramatiker
	Volker Schlöndorff und Wim Wenders, Regisseure
Idee und Projektleitung	Juliane Lorenz, Harry Baer

Ermöglicht durch die Stiftung Deutsche Klassenlotterie Berlin,
die Senatsverwaltung für Kulturelle Angelegenheiten, Berlin,
das Ministerium für Wissenschaft, Forschung und Kultur des Landes
Brandenburg, das Bundesministerium des Innern, Bonn

Ausstellung

Konzeption	Rolf Zehetbauer, Juliane Lorenz
Ausstellungsleitung, Gestaltung und Realisierung	Herbert Gehr, Deutsches Filmmuseum Frankfurt/M.
Organisation	Harry Baer
Architektur	Jan Schlubach, Marinus Haas
Grafik	Lidwien Steenbrink
Assistenz	Susanne Noé
Kostüme und Präsentation	Barbara Baum
Assistenz	Gioia Raspé
Querelle-Bauten	Rolf Zehetbauer
Ausführung Rundhorizont	Tine Kindermann
Beleuchtung	Roger Heeremann
Licht-Equipment	ARRI, München
Bautenausführung	Clausing & Wrede Filmbauten, Berlin, Raum + Detail
	V. d. Becke + Meßner, Berlin
AV-Technik	SONY, GATE — General Audio & Television Equipment, Berlin
Reprofotografie	Peter Riesterer, Kranichphoto Berlin
Fotoarbeiten	PPS — Zentrum für Bildkommunikation, Berlin
Hauptleihgeber	Liselotte Eder, Barbara Baum, Rolf Zehetbauer,
	Juliane Lorenz, Stiftung Deutsche Kinemathek

Retrospektive

Programmauswahl	Juliane Lorenz
Organisation	Eckhard Holzmann, Freunde der Deutschen Kinemathek
	Besonderer Dank an Erika und Ulrich Gregor
	Babylon (Mitte), Cornelia Klauss
	Filmmuseum Potsdam, Dr. Bärbel Dalichow
	mit freundlicher Genehmigung des Westdeutschen Rundfunks, Köln
	Besonderer Dank an Gunter Witte

Open-air-Vorführung Berlin Alexanderplatz

Organisation	Harry Baer, Herbert Gehr, Udo Heiland
Technische Leitung	Jörg Schniedermann, Berlin
Projektion	Stumpf Kinotechnik, Mörfelden

Werkschau

Sekretariat und Produktionsassistenz	Aïssé de Bonneval
Organisatorische Mitarbeit	Udo Heiland
Buchhaltung	Werner Mauder
Steuerberatung	Günter Thielmeier
Rechtsberatung	Dr. Martin Schlaak
Öffentlichkeitsarbeit und Presse	Tatjana Petersen

Mit freundlicher Unterstützung von	SONY Deutschland, Köln; GATE — General Audio & Television Equipment, Berlin; Bavaria Design Rolf Zehetbauer, München; ARRI, München; DIAL, Berlin; Maritim Grand Hotel, Berlin; Mercedes-Benz Kulturförderung; Hotel Kempinski, Berlin; PPS — Zentrum für Bildkommunikation, Berlin; TIP Magazin, Berlin; FTA Film- und Theater-Ausstattung, Berlin; Gebr. Wichmann KG, Berlin; Gerlach & Partner, Berlin; Rialto-Film Horst Wendlandt, Berlin; Regina Ziegler Filmproduktion, Berlin; Bavaria Atelier GmbH, München; Filmverlag der Autoren, München; Westdeutscher Rundfunk, Köln; Internationale Filmfestspiele, Berlin; Geyer-Werke, Berlin; Verlag der Autoren, Frankfurt; Gundram Göring, München; Bayerischer Rundfunk Hörspiel, München; Cinecam GmbH, München, Moviecam F. G. Bauer GesmbH, Wien

Katalog

Herausgeber	Rainer Werner Fassbinder Foundation
Redaktion	Marion Schmid, Herbert Gehr
Layout	Jürgen Freter
Umschlaggestaltung	Lidwien Steenbrink
Umschlagfoto	Maximilian Johannsmann
Kostümfotografie	Elfi Mikesch

Textnachweis Die Zitate von Rainer Werner Fassbinder stammen aus folgenden Interviews: Kurt Habernoll 1971, Christian Braad Thomsen 1971–1979, Corinna Brocher 1973, Wolfgang Röhl 1973, *Filmkorrespondenz* 1974, *Nürnberger Nachrichten* 1974, Eva Kröhnke-Zimmermann 1974, Hannsheinz König 1975, Wolfram Schütte 1976, Kurt Joachim Fischer 1977, Peter W. Jansen 1978, Helle Schlumberger 1978, Wolfram Schütte 1979, Ernst Burkel 1979, Peter W. Jansen 1980, Klaus Eder 1980, Bodo Fründt / Michael Jürgs 1980, Wolfgang Limmer 1980, Dieter Schidor 1982, sowie aus Texten von Rainer Werner Fassbinder. Der Abdruck erfolgt mit freundlicher Genehmigung des Verlags der Autoren. Weiterführende Textnachweise sowie filmografische Daten finden sich im Programmheft zur Rainer Werner Fassbinder Werkschau.

Abbildungsnachweis Arsenal S. 190; Barbara Baum 22, 23, 49, 51, 124, 125, 128, 174, 175, 206; Bavaria 234, 235; Wilfried Beege 180, 182; Bruna Bertani 91; Rolf Bührmann 98, 196, 197; Ilse Buhs 186; Andreas Buttmann 185, 186; Cinémathèque Suisse 43; Filmverlag der Autoren 21, 161, 163, 176, 181; Michael Friedel 95; Roger Fritz 20, 25, 50, 108, 109, 110, 121, 122, 123, 129, 131, 137, 155, 205, 237, 240, 247; Peter Gauhe 26, 27, 35, 38, 39, 139, 141, 161, 198, 201, 220, 221, 252; Ulrich Handel 103; Dino Raymond Hansen 33; Konrad Hartmann 183, 184, 185; Anne Jansen 137; Jörg Jochmann 207, 208, 219, 221; Maximilian Johannsmann 141, 163, 166, 195, 202, 203, 219, 224; Joseph Klaes 187; Patrick LaBanca 93, 97, 137, 151; Digne Meller-Markovicz 101, 145, 147; Elfi Mikesch 207, 209, 210, 211, 212, 213, 214, 215, 236; Leo Mirkine 241; Matthias Nyary 184; Erika Rabau (IFB) 76, 77, 114, 170, 242; Karl Reiter (Bavaria) 52, 82, 90, 99, 105, 112, 171, 188, 206, 218, 222, 238, 239, 244; Rialto Film 134, 165, 223, 245; Marius Gallus Rittenberg 255; Schlöndorff 251; Stern 85; Süddeutscher Verlag 41, 80, 81, 83, 151, 217; Sygma 126, 173; Felicitas Timpe 118; K. H. Vogelmann (Bavaria) 105, 106, 107, 117, 175, 234, 235, 239; Heide Maria Weiss 40; Manjit Jari 8, 187; Regina Ziegler Filmproduktion 253; (alle anderen Fotos: Rainer Werner Fassbinder Foundation)

Satz	Mercator Druckerei GmbH Berlin
Litho	Graphische Werkstätten Berlin GmbH
Druck	Ludwig Vogt, Berlin
© 1992	by Rainer Werner Fassbinder Foundation

Argon Verlag GmbH

ISBN 3-87024-212-4
Sonderausgabe für den Buchhandel

Inhalt

Grußwort

Rainer Werner Fassbinder war wohl der bedeutendste Regisseur des Neuen Deutschen Films, dem er auch international zum endgültigen Durchbruch verhalf — ein Künstler, dem die seltene Synthese von radikaler Subjektivität in seinen Werken und Publikumsnähe gelang, der seinen künstlerischen Anspruch mit dem Unterhaltungsbedürfnis der Zuschauer in Einklang bringen konnte und dessen Tod im Jahre 1982 in den Augen vieler das Ende einer bedeutenden Epoche der deutschen Filmgeschichte markiert. Sein schon zu Lebzeiten vieldiskutiertes Werk hat nichts von seiner Lebendigkeit eingebüßt. Es erneut einer breiten Öffentlichkeit vorzustellen, Arbeit und Leben Rainer Werner Fassbinders in all ihren Facetten zu würdigen, ist Sinn und Ziel der Werkschau, die eine vollständige Retrospektive, eine großangelegte Ausstellung und diesen Katalog umfaßt.

Ich freue mich, daß dieses kulturelle Ereignis in Berlin stattfindet, der Stadt, die mit Fassbinders Werk untrennbar verbunden ist. Und es erfüllt mich mit Genugtuung, daß ganz Berlin an diesem Ereignis teilhat, daß die Ausstellung am Alexanderplatz gezeigt werden kann, Fassbinders Filme in Kinos des Ost- wie des Westteils der Stadt gezeigt werden und das Filmmuseum Potsdam das Rahmenprogramm ausrichtet.

Mein besonderer Dank gilt den Initiatoren der Werkschau, Juliane Lorenz und Harry Baer, für ihr Engagement, welches dieses Kulturprojekt erst ermöglicht hat. Danken möchte ich auch dem Deutschen Filmmuseum, Frankfurt am Main, und der Stiftung Deutsche Kinemathek, Berlin, deren Mitarbeit nicht nur zum Gelingen der Veranstaltung beitrug, sondern auch der Bedeutung des Schaffens von Rainer Werner Fassbinder gebührend Ausdruck verleiht.

Der Werkschau wünsche ich von Herzen den angestrebten Erfolg, nämlich daß die Filme Rainer Werner Fassbinders erneut ihr Publikum finden, denn sie erfüllen eine Maxime aus Alfred Döblins Roman »Berlin Alexanderplatz«: »Die Hauptsache am Menschen sind seine Augen und seine Füße. Man muß die Welt sehen können und zu ihr hingehen.« Fassbinder sah die Welt und ging zu ihr hin, und seine Filme spiegeln dieses Gehen und Sehen eindringlich wider.

Ulrich Roloff-Momin
Senator für Kulturelle Angelegenheiten

Vorwort

»… noch einmal, vielleicht zum erstenmal (nämlich im Bewußtsein des Abgeschlossenen) wird das Ganze eines nunmehrigen Lebenswerks, einer persönlichen, geistigen Physiognomie zu ertasten unternommen, bevor Werk wie Person durch die Erosion der schnell arbeitenden Geschichte zerfallen«. Daß das Lebenswerk Rainer Werner Fassbinders sich gegen den Zerfall zu behaupten vermag, von dem in Wolfram Schüttes Nachruf auf den Künstler 1982 die Rede war, steht für uns außer Frage. Nicht nur für uns, die wir Gelegenheit hatten, an seiner Arbeit teilzuhaben. Auch die vielen Publikationen und Retrospektiven, die es — wenn auch meist im Ausland — zu Fassbinders Arbeiten nach wie vor gibt, zeugen davon.

Es ist unsere Absicht, das Werk Rainer Fassbinders einer breiten Öffentlichkeit zu präsentieren. Besonders den Jüngeren sowie dem Publikum aus den neuen Bundesländern bietet sich erstmals die Möglichkeit, Fassbinders Schaffen umfassend kennenzulernen, seine Filme, seinen Weg zu diesen Filmen, seine Texte, seine Reflexionen. Aber auch diejenigen, die das Werk schon kennen, Fassbinders künstlerische Entwicklung in den 60er und 70er Jahren mitverfolgten, seinen Namen mit konkreten Vorstellungen verbinden, haben die Gelegenheit zum Wiedersehen, Anders-Sehen, dazu, Fassbinder-Bilder und Urteile zu überprüfen, ihre »eigenen Veränderungsmöglichkeiten zu finden«, wie Fassbinder es von seinen Zuschauern erwartete.

Wir versuchen, der Vielschichtigkeit und Bedeutung dieses Werks durch unterschiedliche, aufeinanderbezogene Veranstaltungselemente gerecht zu werden. Die Werkschau besteht aus einer Retrospektive, die nicht nur von Fassbinder inszenierte Filme umfaßt, sondern auch jene, in denen er als Schauspieler mitwirkte, sowie solche, die er besonders schätzte; aus der Ausstellung am Berliner Alexanderplatz, die Original-Dokumente und bislang unveröffentlichte Fotos versammelt und sie in filmisch inszenierten Räumen präsentiert; aus diesem Katalog, der einen Eindruck davon vermitteln möchte, wie stark Rainer Werner Fassbinders Persönlichkeit bei vielen bis heute nachwirkt, die mit ihm oder über ihn gearbeitet haben; und aus einer Gesprächsreihe mit Schauspielern und Stabmitgliedern, die aus ihrer Sicht die Stellung Fassbinders im deutschen Film beschreiben.

In spannungsreicher Wechselbeziehung sollen diese Bestandteile der Werkschau zu einem tieferen Verständnis von Fassbinders Schaffen beitragen und dazu einladen, sich unvoreingenommen mit dem Dichter, Schauspieler und Filmemacher zehn Jahre nach seinem Tod erneut oder erstmals auseinanderzusetzen. Wir halten unsere Aufgabe für erfüllt, wenn es gelungen ist, die schöpferische Umsetzung eines nur 37 Jahre währenden Künstlerlebens vor Augen zu führen.

Es gab bislang in Deutschland keine einem einzelnen Filmregisseur gewidmete Werkschau dieser Größenordnung. Der Name Fassbinder hat bewirkt, daß uns von vielen Seiten spontan Unterstützung zuteil wurde, als wir begannen, unsere Idee umzusetzen. Für uns war diese Erfahrung ein weiteres Indiz für die bleibende Bedeutung und Lebendigkeit des Werks Rainer Werner Fassbinders.

Unser Dank gilt: Rolf Zehetbauer, Barbara Baum, Liselotte Eder, Thomas Wölk, Reinhard Penzel, Gisela Schmeer, Wim Wenders, Volker Schlöndorff, Heiner Müller, Karin Marquard, Hans-Helmut Prinzler, Oskar von Thoerne und
Rainer Werner Fassbinder

Juliane Lorenz
Harry Baer

Lebenslauf
1967

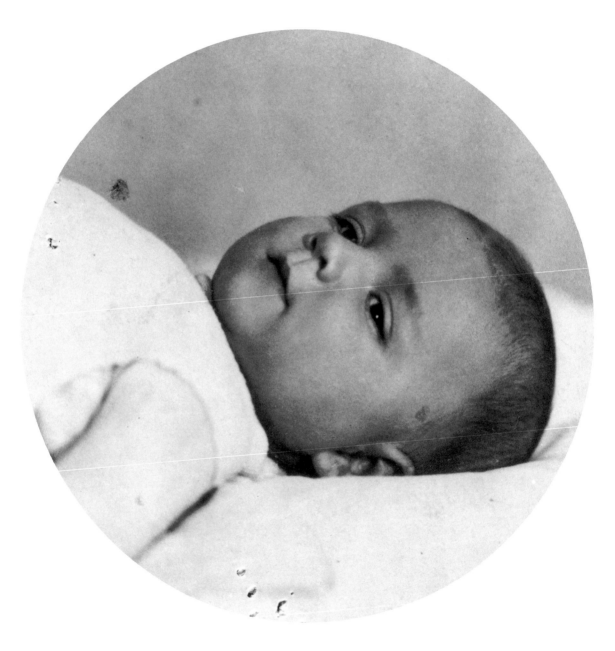

1945

Lebenslauf

Am 31. Mai 1945 wurde ich als Sohn des praktischen Arztes Dr. Helmuth Fassbinder und seiner Ehefrau Liselotte, geb. Pempeit, in Bad Wörishofen geboren.

Meine ersten Lebensjahre verbrachte ich in München, wo ich auch von 1951-1955 die Rudolf-Steiner-Schule besuchte.

Von 1955-1961 war ich in folgenden Gymnasien: 1955-1956 Theresiengymnasium München, 1956-1958 St. Anna Gymnasium Augsburg, 1958-1959 Realgymnasium Augsburg, 1959-1961 Neues Realgymnasium München.

Von 1961-1963 half ich meinem Vater in Köln beim Aufbau eines Immobilienbüros. In dieser Zeit besuchte ich außerdem ein Abendgymnasium.

Von 1963 - März 1964 nahm ich Schauspielunterricht bei Intendant Kraus in München, anschließend beim Schauspielstudio Fridl Leonhard bis 31. Mai 1966.

Ende Juli 1966/Anfang August 1966 war ich Mitarbeiter an Bruno Joris Fernsehdokumentation „Hoffnungsgruppe" in Verona. Nach der Herstellung eigener 8mm-Filme im September/Oktober 1966 machte ich im November 1966 meinen ersten Kurzspielfilm in 35mm „Der Stadtstreicher". Außerdem erhielt ich im November 1966 beim Dramenwettbewerb der Jungen Akademie, München, einen Preis für „Nur eine Scheibe Brot". Im Februar 1967 machte ich dann meinen zweiten 35mm-Kurzspielfilm „Das kleine Chaos"   26. 7. 1967

Rainer Werner Fassbinder

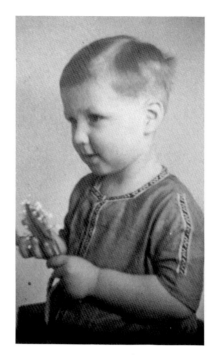

1948

1950

1956

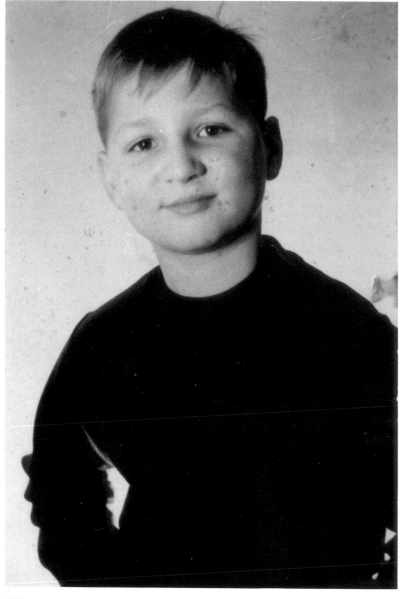

1954

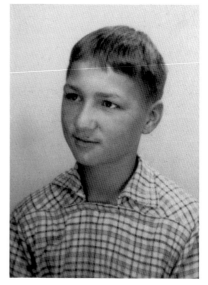

1958

16

Rainer W. Faßbinder

1961

Autogrammkarte, um 1969

17

RWF, Wachsmalkreide, um 1954

RWF, Aquarell, um 1960

Barbara Sukowa in LOLA, 1981

Barbara Sukowa in LOLA, 1981

Harry Baer

Rückwärts in die Gegenwart

Natürlich gibt's nichts Wichtigeres zu tun, als die Motivsuche für de nächsten Film vorzubereiten. Während Juliane bei der Fertigstellung vo QUERELLE im Schneideraum schwitzt, habe ich die angenehmere Tätig keit, für das Projekt »Ich bin das Glück dieser Erde« die Drehorte her auszufinden.

Das »Song Parnass« am Max-Weber-Platz in München habe ich scho für das Motiv »Discothek« klargemacht, weil die Spielhandlung dort au zwei Ebenen möglich ist und die Kamerastandorte einige schöne Blick winkel zulassen. Der Besitzer hat nichts dagegen, und der Preis pr Drehtag ist o. k.

»Ich bin das Glück dieser Erde« wird ein Film über eine Gruppe vo vier Leute, denen das Leben nicht besonders hold ist. Am Ende haben si sich aber zusammengerauft, sind fein raus und glücklich. Und sie habe zum ersten Mal in ihrem Leben richtig Geld. Die Musik zu diesem Fil stammt von Joachim Witt, wir hören sie sowieso tagein, tagaus.

Es gibt nur ein Exposé mit einigen vagen Angaben, die aber dem ein gespielten Team ziemlich viel erklären und auf jeden Fall deutlic machen, was in dieser oder jener Szene vor sich gehen wird. Die Dialog gib's spätestens am Morgen vor dem Drehen.

Größere Schwierigkeiten habe ich mit dem zehnten Motiv des Expo sés »Body-Building-Studio«. Erstens ist der Laden, den mir der Choreo graph Gackstetter in der Dachauer Straße zeigt, ziemlich versyph Zweitens soll ich in dem Film endlich mal wieder spielen dürfen. Abe nur, wenn ich verspreche, von meinem Übergewicht Abstand zu neh men und meine Muskeln etwas mehr zum Vorschein kommen zu lasse

Die Sequenz lautet im Exposé: »Günther, Hanno und Harry mache Body-Building. Sie begreifen nicht, daß sie als Detektive nichts tauge sollen, bei ihrer Intelligenz.«

Rainer versucht mit diesem neuen Film zu beweisen, daß es nicht nu teuer im Studio geht. Von wegen Fassbinder kann nur noch Millionen Projekte durchziehen ... Das wäre doch gelacht. Dieses »Glück de Erde« soll knapp kosten, und jeder kriegt die gleiche Gage. Ist auch nich so schlimm, weil alle vier Rollen ziemlich groß sind. Den weibliche Hauptpart hat Dolly Dollar.

Also der Film muß mit 500 000,- DM zu machen sein.

Die Dreharbeiten sind von einer Ausgelassenheit, daß man zwischen durch nicht mehr weiß, ob eigentlich gearbeitet wird. Besonders ein Szene ist mir in bester Erinnerung geblieben. Ich werde an einer Höllen maschine im Body-Building-Studio dermaßen gequält, daß mir di Soße nur so vom Gesicht rinnt, den beiden anderen geht es nicht besse

RWF und
Harry Baer

Dreharbeiten zu QUERELLE, 1982

Dafür werden wir aber im Anschluß an die schweißtreibenden Arie
zum Essen eingeladen. Nicht zum Essen, zum Fressen, dabei vergiß
jeder seine Linie ... Nur in ganz wenigen Szenen wird richtig ha
geschuftet, da läßt Rainer nichts anbrennen, auch wenn sich alle Darstel
ler die Szene völlig anders vorgestellt hatten.

Behaupten muß sich in diesem Jahr auch die deutsche Nationalmann
schaft in Spanien. Natürlich werden die Dreharbeiten so gelegt, daß di
wichtigen WM-Spiele auch alle gesehen werden können. Wichtig sin
logischerweise alle! Italien wird Weltmeister, und die Bundesrepubli
Deutschland zum zweiten Mal Vize. Das geschieht unserer Mannschaf
auch recht, die sich mit vielen Unentschieden ins Finale gemogelt hatt

Aber Vizeweltmeister ist ja schließlich auch was. Eines der Lieblings
spiele von Rainer ist das Hersagen der einzelnen Namen der Fußballe
der WM von 54 in Bern. Kein Spiel um Geld, sondern um Wisser
Logisch, daß er immer gewinnt. Daß Toni Turek im Tor stand, wei
eigentlich jeder, aber Rainer will die Aufstellung wissen. Manche
kommt schon nach dem Fritz Walter ins Schwitzen. Also da sind: Tor
Turek, Jupp Posipal, Werner Kohlmeyer, Horst Eckel, Werner Liebrich
Karl Mai, Helmut Rahn, Maxl Morlock, Ottmar Walter, Fritz Walte
und Hans Schäfer. Deutschland gewinnt mit 3:2 Toren gegen den haus
hohen Favoriten Ungarn.

Drehpause bei PIONIERE IN INGOLSTADT,
1970

Man erinnere sich nur an den wichtigen Bezug am Schluß von DI
EHE DER MARIA BRAUN: Ihr Haus fliegt in die Luft, und auf der Ton
ebene des Films überschlägt sich die Stimme des Reporters Herber
Zimmermann: »Aus, aus! Das Spiel ist aus! Deutschland ist Welt
meister!«

Auch in DIE SEHNSUCHT DER VERONIKA VOSS gibt es einen Dialo
zwischen Cornelia Froboess und Hilmar Thate über die Brüder Walte
Auf der Tonspur einer anderen Szene läuft ein Ausschnitt eines Spiel
Schweden gegen Deutschland, als Juskowiak vom Feld gestellt wird
Deutsche Geschichte interessiert Rainer, und Fußball eben auch.

Ich beginne im Auftrag des »Generalmusikdirektors« Rainer Werne
Fassbinder Musikkassetten aus den 60er Jahren zu sammeln. Und di
70er und die 80er kommen ins Archiv. Die brauchen wir später für di
Atmos der Filme der 90er Jahre.

Mehr als traurig ist Rainer, als er erfährt, daß die Simmel-Geschicht
Hurra, wir leben noch von Peter Zadek verfilmt wird. Dabei gab es scho
ein fertiges Drehbuch und Gespräche mit der Bavaria.

Wer allerdings den Mitch in »Endstation Sehnsucht« spielen soll, dar
über gibt's einige Rangeleien. Rainer inszeniert das Stück von Tennesse
Williams für's Theater, und das Ganze geht auf Tournee. In Kazans
STREETCAR NAMED DESIRE spielt Marlon Brando den brutalen Schwage
von Blanche, bei Rainers Theaterversion spielte ihn Gottfried John. Da
ist späte Dankbarkeit für seine Darstellung des Reinhold in BERLI
ALEXANDERPLATZ. Die Hauptfigur der Blanche Dubois wird von Elisa
beth Volkmann verkörpert. Zum ersten Mal spielte sie bei LILI MARLEE
mit, wo sie in einer Bierschwemme für deutsche Soldaten eine atembe

WM-Elf 1954

Drehpause bei PIONIERE IN INGOLSTADT,
1970

raubende Tanznummer auf's Parkett schmiß. Ihre nächste Rolle gab sie dann als seriöse Journalistin in VERONIKA VOSS an der Seite von Hilmar Thate. Blanche, eine neurotische und kapriziöse Frau, versucht im Alkohol ihre schmutzige Vergangenheit zu vergessen. Wie die Volkmann das auf der Bühne allabendlich meistert, ist schon grandios. Zuflucht sucht sie bei ihrer Schwester Stella, Barbara Valentin. Die Inszenierung wird in München uraufgeführt und ein großer Erfolg, vor allem für die drei Hauptdarsteller.

Für die Tournee bin ich als Abendregisseur vorgesehen, das heißt als abendlicher Inspizient zwischen Flensburg und Konstanz. Dadurch, daß ich mit den Schauspielern durch die Gegend reisen muß, bin ich ein bißchen ruhiggestellt. Vielleicht sind es meine Vorstellungen von den niedergemetzelten Massen in einigen Szenen zu dem Großprojekt über Rosa Luxemburg, die Rainer tierisch nerven. Die Reise geht im Bus durchs Land. Leider nicht so ökonomisch, wie ich das von einer Reisefilmproduktion her kenne, sondern ziemlich kreuz und quer, je nach den Veranstaltungsterminen, die der Tourneeleiter auf die Beine gebracht hat. Manchmal kommt man kaum mehr in 'ne frische Unterhose, weil der nächste Termin in Norddeutschland liegt, wo man doch gerade im Süden aufgetreten ist. Das liebste Bett wird einem die umgeklappte Sitzreihe im Reisebus.

Was Rainer allerdings bei der Inszenierung »vergessen« hat, sind die Situationen unterwegs. Wie die beiden Protagonistinnen miteinander umgehen, das ist schon wieder ein anderer Film. Die Liesel und die Bärbel, bestens eingeübt im Zuspiel von verbalen Ping-Pong-Bällen, bringen nicht nur den Busfahrer zur nackten Raserei.

Rainer schreibt in dieser Zeit das Drehbuch zum Film »Rosa L.«, und die Produzentin will ihm für die Titelrolle einen amerikanischen Star besorgen: Jane Fonda! Der zu große Rummel um Fonda führt dann aber doch dazu, daß die Rolle wieder deutsch besetzt wird. Außerdem will Jane ihre Familie mitbringen und viel Sport machen. Aber bevor Rainer Aerobic macht und womöglich joggt, nimmt er dann lieber die Hanna.

Es wird eine Riesenproduktion, und die sehr aufwendigen Dreharbeiten führen uns nach Prag. Dort lassen sich ohne große Mühe ganze Straßenzüge in das Berlin des ersten Weltkrieges verwandeln. Die Innenaufnahmen werden fast ausschließlich in den CCC-Studios in Berlin gedreht.

Danach ist mit Film erstmal Pause. Rainer macht sich an ein altes Lieblingsobjekt, die »Traviata«. Er inszeniert in Zürich seine Oper. Und die wird wunderschön. Die Traviata wird von Ingrid Cavens Schwester gesungen, Lisgreth Schmidt, die Rainer sehr verehrt. Daß er seine eigene Oper viel lieber bei den Eidgenossen untergebracht hätte, verschweigt er natürlich. Die sollte mal »Der Krebs« heißen. Willi (Peer Raben) sollte die Musik schreiben.

Vielleicht gibt gerade der Zwiespalt zwischen dem großen Geld, das in der Schweiz seinen Unterschlupf findet, und der Vergeblichkeit der Utopie, die in Rainers Kopf schlummert, die Anregung dazu, ein Drehbuch über die 68er zu schreiben. Und es entsteht 1986 der Film über 1968. Daß man ohne Träume nicht leben kann, weiß Rainer so genau wie kein anderer, daß er aber die Unmöglichkeiten als solche auszusprechen wagt, nehmen ihm viele krumm. Wieder sitzt er zwischen allen Stühlen.

Horst Wendlandt kam mit der schönen Idee an, Pitrigrillis Roman *Kokain* zu verfilmen. Das war in einem Freßtempel de Luxe in München. Rainer war total happy und besetzt die wichtigen Rollen sofort mit Ornella Muti, Romy Schneider und Brad Davis. Aber erstmal schrieb Rainer das Drehbuch, und das war dem Horst einfach viel zu lang.

Jetzt endlich einigen sie sich darauf, daß man die Motivsuche nochmal machen soll, denn Kürzen kann man ja immer noch. Daß Rainer zur Motivsuche nach Brasilien darf, macht mir eigentlich nichts aus. Mich erwischt es vielmehr kalt von hinten, als ich höre, daß er schon wieder mit der Concorde fliegen darf. Das ist der Gipfel, und ich bin richtig sauer und tagelang nicht mehr zu sprechen.

Entschädigt werde ich dann mit einer wunderschönen Italienreise. Die Motive im Süden sind mehr als sensationell und gefallen Rainer genausogut wie Rolf Zehetbauer. Eine Reise auf eine Gefängnisinsel vor Capri ist dann aber leider etwas bedrückend. Unser Boot ist nicht nur etwa nur für uns gemietet, nein, da sind echte Carabinieri drauf mit einem Gefangenen. Dem Unglücklichen haben sie zur Sicherheit noch Fußschellen mit Gewichten umgelegt, damit er auch wirklich absäuft, falls er partout ins Meer springen will.

Die Zellen des Kerkers, ein anderes Wort fällt mir beim besten Willen nicht ein, sind teilweise so niedrig, daß die unglücklichen Gefangenen nicht stehen können. Man stelle sich mal vor, da ist man vielleicht auch nur länger als zwei Stunden eingesperrt, aber hier saßen Lebenslängliche!

Rainer dreht den Roman dann doch in einer leicht gekürzten Fassung, und selbst Horst ist mit der Länge letztlich zufrieden und mit dem weltweiten Erfolg sowieso.

Dann ist ein anderer Lieblingsstoff von Rainer dran, »Der Mann im Jasmin« von Unica Zürn. Diesmal wieder eine Auftragsarbeit für das Fernsehen, und die Produktionsbedingungen sind wie der Zürnsche Untertitel der Geschichte »Eindrücke einer Geisteskrankheit«.

Eigentlich ist er jetzt schon ein bißchen ruhiger geworden und haut nicht jedes Jahr zwei oder drei Filme raus. Daß 1990 Deutschland schon wieder Weltmeister wird, geht für ihn zwar klar, ist ihm aber dann doch auch ein bißchen viel auf einmal, denn in Deutschland geschehen Sachen, die Rainer sofort wieder zum Machen veranlassen. Er muß einen kleinen, schmutzigen Film über die Schiebereien am Bahnhof Zoo drehen, die kleinen Wechselgauner und die Kriegsgewinnler, und über eine Frau, die sich zwischen Liebe und Politik entscheiden muß und nur verlieren kann. Trotz der sich überschlagenden Ereignisse der deutschen Vereinigung entsteht ein zeitloses Dokument, wie es halt sonst keiner kann.

Rainer macht dann Entdeckungen in der Umgebung von Berlin, die ihn ständig neue Projekte entwickeln lassen. Bei unseren Ausflügen unter der Woche (logisch, wann denn sonst) ziehen wir einmal rund um Berlin. Das hat mit Sicherheit mit den vielen Motiven zu tun, die sich noch finden lassen. Auch und gerade in der Mark Brandenburg von Theodor Fontane.

Er schreibt auch schon wieder an einer neuen Serie über deutsche Geschichte, weil aber am 10. Juni 1992 die Europameisterschaft in Schweden beginnt, läßt sich Rainer entschuldigen.

Christian Braad Thomsen

Gespräche mit Rainer Werner Fassbinder

Berlin 1971

Bevor Du angefangen hast, Filme zu drehen, hast Du für das Theater geschrieben und inszeniert — oder für das antiteater, wie Du das nanntest. Warum hast Du überhaupt angefangen, Filme zu drehen?

Zu allererst habe ich zwei Kurzfilme gedreht, und erst danach bin ich zum Theater gegangen. Das war kein antiteater, was ich gemacht habe, sondern Theater. antiteater war nur so ein Name, so wie andere Theater eben Schillertheater heißen.

Ich habe viel beim Theater gelernt — wie man mit Schauspielern umgeht und wie man eine Geschichte anders erzählt. Übrigens bin ich selbst Schauspieler. Das ist das Einzige, was ich wirklich gelernt habe — in allem anderen bin ich Autodidakt.

Eigentlich wollte ich von Anfang an Filme drehen, aber das war nicht so leicht, deshalb habe ich das gemacht, was leichter war, nämlich Theater. Das hat sich auch irgendwie bezahlt gemacht, denn als ich anfing, Filme zu drehen, war es für mich leichter, weil ich eben vom Theater kam. Der Erfolg, den ich dann hatte, und daß die Filme überhaupt zu den Festivals kamen, das hat halt damit zu tun, daß Theater in Deutschland besser angeschrieben ist als Film. Die Leute dachten: »Naja, der hat zwar Filme gemacht, aber der hat auch Theater gemacht — also muß da irgendwas dran sein.«

Obwohl viele Deiner Filme von alten amerikanischen Gangsterfilmen und Melodramen beeinflußt sind, unterscheiden sie sich auch wieder stark von ihnen. Was gefällt Dir an Filmen von Raoul Walsh und Douglas Sirk?

Das ist nicht so leicht zu erklären. Das sind Filme, die ihre Geschichte ganz einfach und gradlinig erzählen und dabei eben auch spannend sind. Bevor ich WHITY gedreht habe, habe ich einige Filme von Raoul Walsh gesehen, vor allem BAND OF ANGELS, einer der tollsten Filme, die ich überhaupt kenne, mit Clark Gable, Yvonne de Carlo und Sidney Poitier. Ein weißer Farmer stirbt, er hatte eine Tochter mit einer schwarzen Frau. Die Tochter ist vollkommen weiß, so daß man ihr gar nicht ansieht, daß sie ein Mischling ist. Aber sobald der Alte, der einen Berg Schulden hatte, tot ist, wird sie verkauft. Clark Gable spielt den Sklavenhändler, der sie kauft, weil er weiß, daß sie ein Mischlingsmädchen ist, und sie weiß, daß er ein Sklavenhändler ist. Dann fängt der Bürgerkrieg an. Sidney Poitier ist der treue Diener des Sklavenhändlers, und obwohl er auf der anderen Seite kämpft, verhilft er seinem Herren und dem Mischlingsmädchen zur Flucht, und dann ist alles gut — oder doch nicht? Die guten Regisseure können Happy Ends liefern, so daß man mit dem Schluß des Films trotzdem nicht zufrieden ist. Man weiß irgendwie, da stimmt was nicht — so geht das eben doch nicht.

Es gibt noch ein paar amerikanische Filme, die ich gesehen habe, als ich jung war, und an die ich mich noch erinnern kann. Ich kann mich nicht mehr an die Titel erinnern, aber an die Stimmung. Der amerikanische Film ist der einzige, den ich wirklich ernst nehmen kann, weil er sein Publikum erreicht. Das hat der deutsche Film auch vor 1933, und natürlich gibt es auch einige Regisseure in anderen Ländern, die Kontakt zum Publikum haben, aber generell gilt für den amerikanischen Film, daß er bisher ein gutes Verhältnis zu seinem Publikum hatte, weil er eben nicht versucht hat, Kunst zu sein. Der amerikanische Film ist spannend und unterhält sein Publikum. Die Erzählweise ist nicht so kompliziert oder künstlich — künstlich ist sie natürlich, aber nicht künstlerisch. Ich mag Kunst nicht.

Aber ist der Unterschied zwischen den Hollywood-Filmen und Deinen eigenen nicht gerade der, daß Deine Filme eben doch Kunst sind?

Ja doch, aber der Unterschied besteht darin, daß ein Europäer nicht so naiv ist wie ein Hollywood-Regisseur. Wir müssen uns immer überlegen, was wir machen, warum wir das machen und wie wir das machen, aber ich bin sicher, daß es mir eines Tages gelingen wird, naive Geschichten zu erzählen. Ich versuche das mehr und mehr, obwohl das ziemlich schwierig ist. Die amerikanischen Regisseure befinden sich auf einer Ebene, die anscheinend ganz gesund ist. Sie verhalten sich politisch konservativ und bilden sich ein, daß die USA das Land der Freiheit und Gerechtigkeit ist, und aus dieser Haltung heraus machen sie ihre Filme, ohne Skrupel zu haben, und das finde ich ganz schön. Aber ich habe eigentlich nie versucht, einen Hollywoodfilm zu kopieren, so wie die Italiener das versucht haben. Wir haben eher Film auf Grund unseres eignen Verständnisses von Film gemacht — jedenfalls am Anfang.

Wenn Du jetzt sagst, daß Du nur die Filme ernst nehmen kannst, die ein Publikum haben, bedeutet das, daß Du Deine Filme nicht ernst nehmen kannst? Die haben ja fast kein Publikum?

Das hat nichts mit mir zu tun, sondern mit einer ganz bestimmten ökonomischen Situation, in der sich Deutschland befindet, und erst wenn diese Situation verändert ist, werden auch meine Filme ihr Publikum haben. In Deutschland läuft in den Kinos nur drittklassige Ware. Der Film ist zum Geschäft geworden, und es ist leichter, drittklassige als erstklassige Ware zu verkaufen. Aber ich bin sicher, daß sich das ändern wird. In Frankreich hat sich das schon geändert: Chabrol dreht heute

Mit Christian Braad Thomsen

Filme für ein großes Publikum, als er anfing, hat er auch Filme für wenige Leute gedreht. Er brauchte zwölf Jahre, um ein Publikum zu erreichen.

Im Gegensatz zu vielen der anderen sogenannten avancierten Regisseur appellieren Deine Filme ans Gefühl, und das müßte eigentlich dem Geschmack des Publikums entsprechen.

Gefühle sind sehr wichtig für mich, aber Gefühle werden heute von der Filmindustrie ausgebeutet, und das verabscheue ich. Ich bin dagegen, daß man mit Gefühlen Spekulation betreibt oder daß man für sie bezahlen muß.

Dieses ambivalente Verhältnis zu Gefühlen drückst Du ja auch in Deinen Filmen aus: Du kannst Szenen mit einem starken gefühlsmäßigen Effekt schildern, aber gleichzeitig kannst Du die Kamera so langsam bewegen, daß Du dabei eine Art Verfremdungseffekt erzielst.

Ja, stilistisch ist das eine Art Verfremdung. Inhaltlich verhält sich das so, daß, wenn eine Szene andauert, wenn sie in die Länge gezogen wird, man wirklich sehen kann, was mit den Personen geschieht. Man sieht und erlebt gefühlsmäßig, was sich da abspielt. Wenn man in solchen Szenen schneidet, weiß man nicht mehr, worum es sich eigentlich gedreht hat.

Du hälst also diese langgezogenen Szenen nicht für eine Art Parodie des amerikanischen Genrefilms?

Nein, überhaupt nicht. Es gibt Kritiker, die meinen, daß ich Zitate des amerikanischen Genrefilms ironisch anwende, und das kann ich natürlich gut verstehen, das kann man so auffassen, und ich muß diese Auffassung akzeptieren, aber für mich ist das nicht so. Der Unterschied zwischen meiner und der amerikanischen Filmkunst besteht darin, daß der amerikanische Film nicht reflektiert, und ich will auch gern zu einer Filmkunst gelangen, die sich frei entfalten kann, ohne diese Reflektionen. Übrigens ist ja nur die eine Hälfte meiner Filme mit dem amerikanischen Genrefilm verwandt. Normalerweise teile ich meine Produktion in zwei Gruppen ein. Da sind die bürgerlichen Filme, die sich alle in einem näher definierten bürgerlichen Milieu abspielen, und dann gibt es Kinofilme, die sich im typischen Filmmilieu abspielen, und eine Handlung haben, wie man sie vom Kino gewöhnt ist. Die erste Gruppe beschreibt ganz bestimmte bürgerliche Mechanismen, und die andere wurde von verschiedenen Filmgenres inspiriert.

Aber auch Genrefilme spielen sich ja eigentlich in sehr bürgerlichen Milieus ab.

Mit Dietrich Lohmann (Kamera) während
der Dreharbeiten zu Rio das Mortes,
1970

Dreharbeiten zu Niklashauser Fart,
1970

Ja, das Gangstermilieu ist sozusagen auch ein bürgerliches Milieu, n
mit umgekehrten Vorzeichen, aber mit den gleichen bürgerlichen Ide
len an Stelle von alternativen Idealen. Meine Gangster sind Opfer d
Bürgerlichkeit und keine Rebellen — wenn sie das wären, müßten s
sich anders verhalten. Die verhalten sich im Prinzip genauso, wie si
der Kapitalismus und die bürgerliche Gesellschaft verhalten. Die Gang
ster verhalten sich halt nur auf eine Art, die strafbar ist. Aber im Prinz
ist es egal, ob eine Person in meinen Filmen Gangster oder mieser Kap
talist ist. Die Gangster haben dieselben bürgerlichen Wünsche wie d
Bürger. Darin liegt vielleicht auch der Unterschied zu den amerikar
schen Gangsterfilmen, wo die Gangster in manchen Fällen wirklich ou
sider sind, während meine kleinen Gangster und Diebe im Grunc
genommen in die Gesellschaft integriert sind.

Es geschieht sehr selten, daß sich Deine Personen wirklich gegen d
Verhältnisse, unter denen sie leben, auflehnen, aber in WHITY geschie
es, da tötet der Sklave seine Herren und flieht.

Aber in Wirklichkeit wendet sich ja der ganze Film gegen den Nege
weil er die ganze Zeit zögert und sich nicht gegen die Ungerechtigkeite
verteidigt. Zum Schluß schießt er zwar die Leute nieder, die ihn unter
drückt haben, aber danach geht er in die Wüste, wo er dann auch stirb
weil er zwar viel erkennt, aber nicht zu handeln vermag. Er versteh
seine Situation, aber er handelt nicht danach. Er geht in die Wüste, we
er nicht wagt, die vollen Konsequenzen zu ziehen. Ich finde es okay, da
er seine Unterdrücker ermordet, aber es ist nicht okay, daß er danach i
die Wüste geht, denn damit akzeptiert er halt doch die Übermacht de
anderen. Wenn er wirklich an seine Handlung geglaubt hätte, dann hätt
er sich mit anderen Unterdrückten solidarisiert, hätte sich mit ihne
zusammengetan, und dann hätten sie gemeinsam handeln können. D
Einzelaktion, zum Schluß des Films, ist keine Lösung, und deshalb rich
tet sich der Film zum Schluß auch gegen den Neger.

Du hast provozierend gesagt, daß WHITY kein Film über Rassismus se

Als ich WHITY gedreht habe, hatte ich mir nicht vorher überlegt, eine
Film über Rassismus zu drehen, und als ich KATZELMACHER gedreh
habe, hab' ich auch nicht gesagt, »so, jetzt mach' ich einen Film übe
Gastarbeiter«, obwohl man das später über KATZELMACHER behaupte
und mir dafür Preise gegeben hat. Mit dem Film DER AMERIKANISCH
SOLDAT wollte ich auch keinen Film über Vietnam drehen, für mich wa
immer wichtig, Filme zu drehen über Menschen und deren Verhältni
zueinander, deren Abhängigkeit voneinander und von der Gesellschaf
Meine Filme handeln von Abhängigkeit, und das ist ja eigentlich seh
sozial, denn Abhängigkeit macht Menschen unglücklich, und wenn ma
das bewußt macht, dann arbeitet man halt sozial.

ühlst Du Dich mit Brecht verwandt?

ein, eher mit dem Österreicher Ödön von Horvath, der interessiert
ch, im Gegensatz zu Brecht, direkt für die Menschen. Ich würde eher
einen wie Alexander Kluge mit Brecht vergleichen und mich selber
it Horvath. Kluges Verfremdung ist intellektuell wie Brechts, während
eine stilistisch ist. Horvath und Brecht unterscheiden sich nicht so sehr
ihren politischen Zielen, als vielmehr in ihren Formen.

Der amerikanische Soldat, 1970

Venedig 1971

Dreharbeiten zu WARNUNG VOR EINER
HEILIGEN NUTTE, 1970

Wie sehr ist Dein neuer Film WARNUNG VOR EINER HEILIGEN NUTTE
eigentlich autobiographisch bestimmt? Der handelt ja von den Dreharbeiten zu einem Film.

Alles ist in diesem Film auf irgendeine Weise autobiographisch, aber
deshalb hat sich das nicht alles so wie in dem Film abgespielt.

Und wie verhält sich das mit der diktatorischen Arbeitsform des
Regisseurs?

Ja, auch die gibt's. Es gibt Augenblicke, in denen ich sehr diktatorisch
bin. Ich habe zwar auch Filme gemacht, die anders gedreht worden sind,
aber wenn der Druck, unter dem ich stehe, zu groß wird, dann werde ich
zum Diktator. Wenn die Arbeit als Regisseur schwierig ist, oder wenn
das Ganze schlecht läuft, dann riskiert man, daß die Leute um einen
herum auch noch auf einem herumtrampeln, anstatt einem zu helfen,
dann bleibt halt nur noch die Diktatur.

Du zeigst, daß der Regisseur seinen Film fertigmacht, und daß er sich
dabei entwickelt, aber sein tyrannisches Verhalten ändert sich nicht,
was? Er verändert sich nicht, obwohl er seinen Film vollendet?

Die positive Entwicklung, die mein Regisseur durchläuft, besteht darin,
daß ihm klar wird, daß die Gruppe keine Gruppe ist und er den Traum
des Kollektivs aufgibt. Er verliert seine Illusionen und sieht die Situation
so, wie sie ist. Ich glaube, daß es möglich ist, Filme weniger autoritär zu
drehen, aber das erfordert, daß man von Anfang an sagt: Ich bin der
Regisseur, du bist der Kameramann, und ihr seid die Schauspieler. Wenn
die Arbeit von jedem klar definiert ist, dann kann sich jeder auf seinen
Teil konzentrieren, anstatt daß alle alles teilen, denn dann wird nichts
ordentlich gemacht. Das kann zwar diktatorisch klingen, aber von dem
Moment ab, wo mir das klar wurde, war ich sehr viel weniger diktatorisch. Der Traum unserer Gruppe, also sowohl der Gruppe im Film als
auch der wirklichen Gruppe, war, daß wir die Verantwortung und die
Arbeitsaufgaben teilen wollten, und daß jeder mitbestimmen sollte, welche Filme gemacht werden sollten, wie und warum die gemacht werden
sollten. Aber leider hat das nicht geklappt. Ich meine nicht, daß es
unmöglich ist, und ich hoffe immer noch, daß es irgendwie möglich
wird, aber bei uns hat das nicht geklappt. Den Leuten wurde ziemlich
schnell klar, daß, wenn sie nichts machten, ich umso mehr machen
mußte, damit das Projekt überhaupt fertig werden konnte, und darauf
verließen sie sich mehr und mehr. Bei den Dreharbeiten zu WHITY brach
alles zusammen, und plötzlich wurde allen klar, daß das, was wir eigentlich machen wollten, nie realisiert worden war. Und WARNUNG VOR
EINER HEILIGEN NUTTE handelt eigentlich von der Dreharbeit zu WHITY

Mit Michael Ballhaus während der
Dreharbeiten zu WARNUNG VOR EINER
HEILIGEN NUTTE, 1970

Mit Hanna Schygulla und Gottfried John
während ACHT STUNDEN SIND KEIN TAG,
1972

Inwiefern seid Ihr ein Arbeitskollektiv? Wohnt Ihr z. B. zusammen, und versucht Ihr, auch außerhalb der Dreharbeiten zusammen zu leben?

Wir haben gemeinsam in einem Haus gewohnt, aber wenn wir gedreht haben, dann haben die meisten ihre Gage verlangt, und als dann die Miete bezahlt werden sollte und eingekauft werden mußte, dann durfte ich das übernehmen, weil ich mehr als die anderen daran interessiert war, daß die Gruppe funktionieren sollte. Und erst als es zu spät war, ging mir auf, daß es unmöglich war. WARNUNG handelt davon aufzuwachen und einzusehen, daß man von etwas geträumt hat, was es gar nicht gibt, und daß sich Träume nicht immer realisieren lassen. Die Leute waren mehr mit ihrer persönlichen Sicherheit beschäftigt und inwieweit sie was zu Essen haben als mit dem Projekt, das ihren Einsatz erforderte. Man hat sich eher den Kopf darüber zerbrochen, die eigene Existenz zu sichern, als die des Projektes. Und für mich war es genau umgekehrt.

Fast alles, was in dem Film besprochen wird, besteht aus deckungslosen Phrasen. Ein Typ im Film spricht davon, die Arbeiter in den Film zu integrieren, politischen Film für die Arbeiter zu machen, aber auch das ist nur eine dieser deckungslosen Phrasen, die man nicht ernst nehmen soll. Als Vorbild für diese Figur diente mir einer meiner besten Freunde — der hat sich so bestimmte linke Phrasen zugelegt, ohne seine eigenen Worte ernst zu nehmen. Er hat alle gefährlichen Konsequenzen seiner eigenen Worte vermieden, hat aber die Wörter dazu benutzt, um Leute zu verführen — dank seiner Phrasen gelang es ihm, mit einem spanischen Arbeiter ins Bett zu kommen!

Dein Kollege Alexander Kluge hat WARNUNG einen Inzestfilm genannt.

So, meint Dr. Kluge das? Alle meine Filme sind Inzestfilme. Die anderen Filme haben genauso viel mit mir und meinem Leben zu tun. GÖTTER DER PEST ist genauso persönlich.

Arbeit scheint in den meisten Deiner Filme ein wichtiges Thema zu sein. Viele Deiner Personen sind kaputt, weil sie keine Arbeit haben und damit aus einem sinnvollen Zusammenhang mit anderen Menschen herausgerissen sind.

Arbeit ist vielleicht das einzige Thema, das es gibt. Was sonst? Die meisten Menschen arbeiten jeden Tag, und das 50 Jahre lang, und wenn sie nach Hause kommen, arbeiten sie auch. Privatleben haben die sozusagen überhaupt nicht. Man kann das so ausdrücken, ihre Arbeit ist ihr Privatleben. Die Personen in meinen Filmen sind kaputte Typen, weil sie keine Arbeit haben, aber in einer Welt leben, in der man arbeiten muß. Das zerstört sie. Wir leben in einer Gesellschaft, in der man arbeiten muß, um einen Lebensinhalt zu haben, und viele meiner Personen können ihre Arbeit nicht ausstehen. Deshalb haben sie keinen Halt im Leben und gehen zugrunde.

Mit Margarethe von Trotta in BAAL,
Regie: Volker Schlöndorff, 1969

Was würdest Du machen, wenn Du keine Filme drehen könntest?

Keine Ahnung. Als ich mit der Schule fertig war, habe ich auch darüber nachgedacht und bin zu der Überzeugung gelangt, daß Theater und Film, so wie unsere Gesellschaft eingerichtet ist, das größte Maß an persönlicher Freiheit garantieren. Deshalb habe ich mich dazu entschlossen. Aber die wichtigste Frage ist heute, wie kann man diese Gesellschaft zerstören? Wenn die Gesellschaft verändert ist, wird sich auch das Bewußtsein der Leute verändern, aber solange alles darauf aufbaut, daß manche arbeiten müssen, damit andere von deren Arbeit profitieren können, dreht es sich nur um eine Veränderung dieser Verhältnisse.

Gekürzte Fassung in *Die Anarchie der Phantasie,* hrsg. v. Michael Töteberg, Frankfurt 1986.

1973

Rainer Werner Fassbinder

Betrachtungen eines Schnittpunkts

Ich bin der Schnittpunkt a eines Dreiecks. Die beiden Geraden, die sich in mir schneiden, bilden einen stumpfen Winkel, der mir eigentlich viel Ausblick in die Zukunft gewähren sollte, aber meine Zukunft ist sehr unsicher. Kann doch selbst ein kleiner Schuljunge schon, wenn er einen Radiergummi besitzt, meine Zukunft in ein endloses Nichts versetzen. Täglich erwarte ich einen solchen Todesstoß, wenn ich auch hoffe, daß man sich meiner erbarmt. Manchmal glaube ich, daß es für uns Schnittpunkte einen Mittelpunkt geben müsse, dem wir uns täglich nähern, um dann ganz mit ihm zu verschmelzen, oder in ihm aufzugehen. Aber wenn dann die Tage vergehen, ohne daß sich auch nur das Geringste ändert in meinem Standpunkt, dann bin ich kurz davor zu verzweifeln. Trotzdem möchte ich behaupten, daß ich täglich mehr hinter die Grausamkeiten der Welt zu blicken vermag, gehen sie doch nicht einmal an einem unschuldigen Schnittpunkt vorbei. Oft sage ich mir, eine meiner beiden Geraden müsse falsch liegen, oder falsch sein. Dabei denke ich weniger an die Grundlinie, die zweifellos vorhanden ist, nein, ich denke an die Seite b, die ich nicht zu überblicken vermag, denn sie scheint im Gegensatz zur Grundlinie krumm zu sein, oder falsch zu liegen. Mein großer Wunsch ist es, selbst die Seite b verändern zu können, in eine geregelte Bahn zu leiten. Immer wieder aber scheitere ich an den vielen Unterbrechungen, welche diese Seite zweifelsohne aufzuweisen hat, kann ein Punkt doch nicht über eine leere Stelle wandern. Oft ertappe ich mich bei dem Gedanken, wie es gewesen wäre, wenn die beiden Geraden c und b aneinander vorbeigelaufen wären, sich nie berührt, geschweige denn geschnitten hätten. Sicher, heute liegen ihre Wege weit voneinander entfernt, aber ich, der Schnittpunkt, ich bin erhalten, und leider bin ich der einzig klare Berührungspunkt der beiden Geraden, wenn auch die Seite a entfernt mit beiden verbunden ist. Oft denke ich auch, oder komme zu dem Schluß, daß es das Beste sei, wenn ich, ganz still und ohne Aufsehen zu erregen, mich aus meinem Schnittpunktdasein schliche. Aber bisher habe ich noch nicht die richtige Methode gefunden, dieses Vorhaben auszuführen, vielleicht aber bin ich auch nur zu feige und habe Angst vor der Unendlichkeit, die mir sicher kein Gott versüßen könnte. So muß ich mir leider zum Schluß meiner Betrachtung eingestehen, daß ich immer noch nicht zu einem allein seeligmachenden Ende gekommen bin, aber ich werde weiter experimentieren, und vielleicht finde ich eine Lösung, die die Geraden und mich versöhnt.

1959

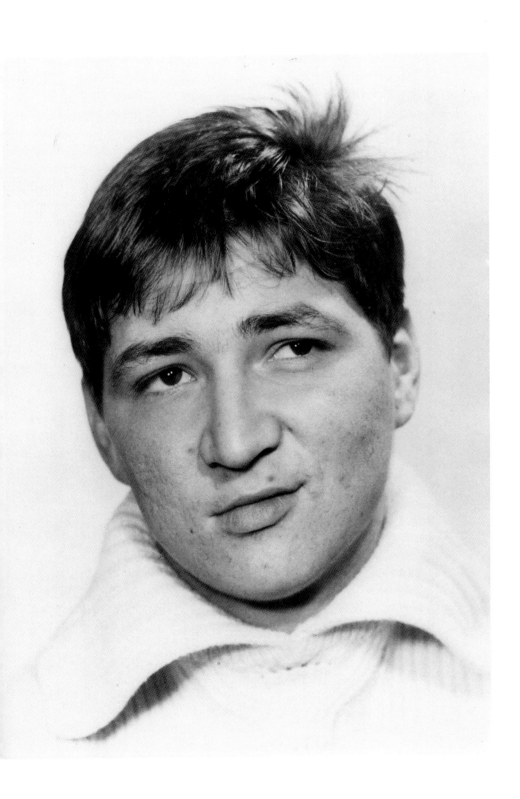

Paul Breitner

Die Meßlatte

Meine große Bewunderung gilt besonders der Stärke und dem Durch-
setzungsvermögen, mit dem er, zumindest nach außen hin, seine Außen-
seiterrolle beherrschte.

Das Egozentrische, das Einzelkämpfertum ist seit jeher für die Masse
ein Schlag ins Gesicht. Ein Schlag, den die Masse braucht, der sie letztendlich fesselt, sie immer wieder aus ihrer Lethargie reißt. So gesehen
zählt RWF für mich zu denen, die, an der Schwelle zum Genie, immer
bereit sind, die eigene Meßlatte höher und höher anzusetzen, um dem
eigenen Drang nach Perfektion gerecht zu werden.

Fußball und vor allem »sein« FC Bayern waren Teil seines Lebens,
eines Lebens, das würdig ist, zu seinem 10. Todestag all denen näherge-
bracht zu werden, die nicht, so wie ich, das Glück hatten, ihn kennenlernen zu dürfen.

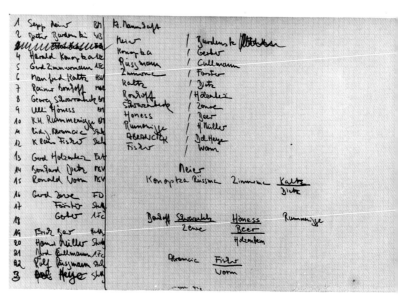

Nationalmannschafts-Aufstellung von
RWF für die Fußball-WM 1978

Artjom Demenok

Mutter Fass-binders Fahrt zum Planeten Solaris

Die Rezeption R. W. Fassbinders in der Sowjetunion

Die Filme von Fassbinder traten zu einer Zeit mit dem sowjetische
Kontext in Kontakt, die, mit Trauer und Nostalgie, jetzt die Zeit des spä
ten Breschnewismus genannt wird. Es geschah Ende der 70er un
Anfang der 80er Jahre dank der weitsichtigen Politik des Münchne
Filmmuseums unter der Leitung von Enno Patalas, der alle denkbare
und undenkbaren Versuche unternommen hat, die damals fast hoff
nungslose Idee zu realisieren, Deutschlands verlorenes Filmerbe, das vo
der Roten Armee aus dem Reichsfilmarchiv entfernt worden war, au
dem Gosfilmofond (Staatliches Filmarchiv der Sowjetunion) wieder z
beschaffen. Der »Neue Deutsche Film«, und in erster Linie die Filme vo
Fassbinder, stellten nach Meinung beider Seiten eine Möglichkeit zu
Vermittlung in den geheimnisvollen Mechanismen der Kulturaustausch
behörde dar, die einem nicht eingeweihten Beobachter wenig bekann
sind. Mechanismen, die jedoch, wie die Erfahrung lehrt, manchma
einen entscheidenden Einfluß auf den kulturellen Kontext ausüben.

Im »Börsenkurs« wird »ein Meter Golem gegen einen Meter Fassbin
der« gleich bewertet und damit apriorisch die Kontinuität des alten un
des neuen deutschen Films bestätigt. Die absurden Beschuldigunge
gegen Fassbinder, er betreibe politischen »Revanchismus« (LILI MAR
LEEN), erwiesen sich als unhaltbar, denn für die offizielle sowjetisch
Kritik war es damals unvorstellbar, daß man das Wort »Revanchismus
auch in einem positiven, kulturellen Sinne anwenden konnte. Dabei hatt
ein Teil des sowjetischen Publikums, dem die deutschen Filmklassike
bekannt waren, eine Wissenslücke in Bezug auf den zeitgenössische
Film, die durch Alfred Vohrer nicht erfüllt werden konnte, sondern au
provozierende Weise vertieft wurde. Alfred Vohrers Filme waren — Rät
sel des Kulturaustausches — sehr populär im sowjetischen Verleih de
70er Jahre. In den traditionellen Wochen des deutschen Films unter
schied sich die Situation von der im Verleih kaum: Filme von Herzo
Wenders und Fassbinder waren nicht vertreten. Nur sehr selten wurd
eine Reihe kommerzieller Filme durch Werke z. B. von Kluge ode
Schlöndorff aufgelockert. Diese zufälligen Begegnungen ermöglichte
zumindest, den tiefgreifenden ästhetischen Wandel innerhalb des deut
schen Films zu erahnen.

Einige Filme von Fassbinder wurden von deutscher Seite für das Mos
kauer Filmfestival vorgeschlagen, aber sie wurden alle aus einer ganze

ТОСКА
ВЕРОНИКИ ФОСС

Неделя фильма Федеративной Республики Германии в СССР

roschüre zur Aufführung von Die
HNSUCHT DER VERONIKA VOSS während
r »Woche des bundesrepublikanischen
lms in der UdSSR«, 1983

Неделя фильма
Федеративной Республики Германии
в СССР

Замужество
Марии Браун

Broschüre zur Aufführung von Die Ehe
der Maria Braun während der »Woche
des bundesrepublikanischen Films in der
UdSSR«, 1983

Reihe widersprüchlicher Gründe durch die Auswahlskommissio
abgelehnt:

MUTTER KÜSTERS FAHRT ZUM HIMMEL: Antikommunismus.

DEUTSCHLAND IM HERBST: Terrorismus und Homosexualität.

DESPAIR: der »weiße« Emigrant Nabokov.

LILI MARLEEN: Kollaboration.

LILI MARLEEN wurde mit besonderem Nachdruck angeboten un
ebenso nachdrücklich abgelehnt. Gleichzeitig war dieser Film ein Kult
film im System der »Unter-der-Hand-Zirkulation« in den Funktionärs
datschen der Moskauer Vorstädte. Das ist ein, wenn auch extremes, s
doch gesetzmäßiges Beispiel für die Adäquatheit von Fassbinder für di
späte Breschnewepoche. Für Luggi Waldleitner wäre es wohl nicht unin
teressant zu erfahren, daß der fast einzige sowjetische Rezipient, der i
den Genuß des Filmes kam, derselbe Parteifunktionär war, der jetzt di
Rolle eines Unternehmers in der gegenwärtigen Etappe der Perestroik
spielt und als gelehriger Schüler des »Deutschen Wirtschaftswunders
auftritt. Es wird interessant sein zu sehen, welche Resonanz LOLA heu
in diesem Milieu haben wird. Ihr steht das Schicksal der Auswertun
druch einen großen Verleih nun bevor. LOLA ist ein Film, der sich m
den Schattenseiten des Wirtschaftswunders auseinandersetzt. Im Fa
LILI MARLEEN ist daran zu erinnern, daß derselbe Filmfunktionär, als
seine offizielle, aber in Wirklichkeit hedonistische Verbotshandlun
begründete, sich an der Reaktion in Ostdeutschland (als Schießplatz de
Kritik gegen Fassbinder) orientierte. Wohl beinahe das einzige Gebiet, i
der sich die DDR zur Autorität aufschwang: das ostdeutsche Kritik- un
Verbotswunder. Und die Tatsache, daß Fassbinder in Ostdeutschlan
und in der Folge auch in der Sowjetunion, in Zusammenhang mit die
sem Film, als Verfechter einer faschistischen Ästhetik behandelt wurd
war eine direkte Auswirkung des totalitär-imperialen Unterbewußt
seins. Also ein faschistischer Film.

Das stand im Gegensatz zum Rezeptionsklischee des Films DIE EH
DER MARIA BRAUN, den man kaufte und kastrierte (bei der Anpassun
wurde er auf 90 Verleihminuten gekürzt und von allen »Längen« befrei
darunter auch vom Glied eines Negers, wenn man das eine Länge nen
nen darf.) Dieser Film wurde gekauft, weil in ihm ein mächtiger anti
faschistischer Apparat tätig zu sein schien, und so war es wirklich, doc
ging er über die bescheideneren ideologischen Ansprüche des sowjeti
schen Funktionärs hinaus. Also ein zu antifaschistischer Film. Sein sozia
les Identifikationsmodell war mit einem solchen Aufwand in Szen
gesetzt worden, daß der Film auch den normalen sowjetische
Zuschauer ergriff mit seiner Hoffnung — wenn auch nicht auf ein satte
Dasein, so doch mindestens darauf, daß in seinem persönlichen Lebe
wie im Leben der Maria Braun, Langmut oder Langfristigkeit sich i
Wohlergehen verwandeln könnte. Der Film ist zu interpretieren al
geniale Parabel darüber, wie Zeit in Glück zu verwandeln ist — insofer
sprengt der Film jeden denkbaren Mythos.

Wenn man die Frauen ernst nimmt,
dann entdeckt man natürlich auch
Fehler an ihnen. Eigenschaften, die sie
entwickelt haben, um sich gegen-
über den Männern durchsetzen zu kön-
nen. Und das sieht man vielleicht
nicht so gerne ein, aber deshalb ist
man noch lange kein Frauenfeind. Ich
finde eher, daß die Leute, die Frauen
immer nur hübsch und schön dar-
stellen, frauenfeindlich sind, denn
sie nehmen die Frauen nicht ernst.
Rainer Werner Fassbinder, 1977

Mit Hanna Schygulla, 1980

Hanna Schygulla in der Maske zu LILI MARLEEN, 1980

Dreharbeiten zu
LILI MARLEEN, 1980

Im Jahre 1983 kam der Film in den Verleih. Gleichzeitig wurden auf dem Moskauer Filmfestival die Filme LOLA und DIE SEHNSUCHT DER VERONIKA VOSS gezeigt. Die reale Begegnung mit Fassbinder fand ein Jahr nach seinem Tod statt. Es kam zu einer Lähmung aller Kritik, die ein verschwommenes Bild krampfhaft verteidigte, ohne eine entfernte Vorstellung zu haben, wohin sich die Figur des mächtigen westlichen Nachbarn entwickeln könnte. »Armer, armer Fassbinder, war noch so jung und mußte doch schon sterben. Aber jetzt kann man alles mit ihm machen« — das war die verspätete Reaktion einer älteren Filmwissenschaftlerin, als ihr schien, daß es keine Hoffnung auf Genesung mehr gab.

DIE SEHNSUCHT DER VERONIKA VOSS wurde für den sowjetischen Verleih gekauft. Aber der Start des Films wurde wegen der in ihm mitwirkenden zwei Republikflüchtlinge (Hilmar Thate und Armin Müller-Stahl) auf Eis gelegt. Wie in jedem entwickelten imperialen System gab es bewegende Momente von Solidarität. Dem Publikum war das vollkommen gleichgültig, aber der sowjetische Funktionär zog es vor, den kleinen Bruder in der DDR nicht zu beleidigen. (Im Januar 1985 entschied das Archivkino »Illusion« auf eigenes Risiko, dem Film eine einmalige Vorführung zu gönnen. Die Lavendelkopie verstärkte das Gefühl einer Zeitverschiebung, die bereits in der ästhetischen Konzeption des Films angelegt ist.)

Im Herbst 1983 wurde im Journal »Iskusstwo Kino« (Filmkunst) eine Publikation des Filmwissenschaftlers Jewgeni Gromow veröffentlicht, der in die BRD geschickt worden war, um sich mit der Situation des deutschen Films vertraut zu machen und der, in Erfüllung seiner Aufgabe, auf scharfe Weise den letzten Film von Fassbinder, QUERELLE, angriff, der nach der Meinung, die er als seine ausgab, nicht Befreiung, sondern sexuelle Zügellosigkeit propagiere — was Homosexualität nach sowjetischer Vorstellung ist und bleibt. Auf paradoxe Weise fiel diese Sichtweise vollkommen mit der Ansicht von Andrej Tarkowskij zusammen, die er bei seiner Pressekonferenz in Venedig 1982 zum Ausdruck gebracht hatte. Tarkowskij war nicht zufällig Opponent Fassbinders — es gab zwischen diesen beiden künstlerischen Größen die reale Konkurrenz zweier ästhetischer Systeme, letzten Endes auch zweier denkender sozialer Wesen, die sie repräsentierten. Im Laufe der 70er Jahre gelang es Tarkowskij, in der Sowjetunion eine dominante Filmästhetik zu begründen, die verbunden war mit einer entwickelten Vorstellung des Visuellen, die sich vom Visionären nicht ganz trennen ließ — was zeifellos sogar im höchst indoktrinierten Anhänger Tarkowskijs einen unbewußten Hang zur narrativen Kunst erweckte.

Fassbinder verkörperte diese Alternative, die auf den narrativen Phänomenen eines großen alltäglichen Melodramas basiert, das gerade die posttotalitäre Lebensform ist, mit der Tarkowskij nicht bewußt brach. Er hat das einfach außer acht gelassen. Der Erzählfilm der Alltagswelt in der Sowjetunion in den 30er und 50er Jahren spielte eine große Rolle, er prägte die Tradition für das Verhältnis der Russen zum Film, bis Tar-

kowskij erschien, der auf die existentielle Katastrophe der Intelligen
anspielte und, so schien es, eine Vielzahl möglicher trivialer Genres fü
immer aus dem repräsentativen sowjetischen Umlauf ausschloß. In die
sem Sinne konnte Fassbinder für das sowjetische Publikum das werden
was Wassilij Schuschkin (übrigens ist sein letzter Film ROTER HOLUNDE
in einer Liste der Favoriten von Fassbinder) nicht mehr gelang, was abe
Iwan Pyrjew mit seinen Musicals für das ungetrübte Bewußtsein de
Proletariers in den 30er Jahren oder der amerikanische Kriegsbeute-Film
in den 40er Jahren waren. Wobei Fassbinders Filme zum Teil den Mytho
der Homosexualität des Kinematographen wieder sichtbar gemach
haben, der vor Tarkowskij im sowjetischen Film der 20er, 30er, 40er un
50er Jahre viel stärker als im Hollywoodkino präsent war, welch
abscheulichen politischen Formen der sowjetische Film jener Zeit auch
angenommen hat.

Natürlich war die Opposition zwischen Fassbinder und Tarkowski
kompliziert; der Film QUERELLE ist selbst nicht frei von visionäre
Zügen, indem er versucht, ein konkurrierendes ästhetisches System zu
adaptieren: das System von Tarkowskij (um es damit für sich unschädlic
zu machen), und ruft damit eine Selbstschutzreaktion hervor. Die posi
tive Einschätzung von Tarkowskijs Film SOLARIS durch Fassbinder is
bekannt. Jedoch die Art, wie die Erinnerung an den Film SOLARIS in DI
DRITTE GENERATION mobilisiert wird, ist kompliziert. Erinnern wir uns
daß es Eddie Constantin ist, der ihn lobend erwähnt, und daß er im sel
ben Atemzug über die Wahrheit des Lebens und die Lage der Kuns
spricht. Eddie Constantin war in der Sowjetunion die Personifizierung
reaktionärer Provokation, und wenn der privilegierte Zuschauer z.B. in
Saal des Moskauer Hauses des Kinos bei der bloßen Erwähnung de
Namens SOLARIS Beifall klatschte, dann konnten ihm am Ende des Film
die Hände brennen, was er aber selbstverständlich vorzog, nicht zu
bemerken, um seinem Idol treu zu bleiben: entweder Fassbinder mit sei
ner Nacktheit und seiner Provokation oder Tarkowskij mit seinem Elite
bewußtsein und seiner Transzendenz. Ohne einen provokativen Kontex
konstruieren zu wollen ist anzumerken, daß DIE DRITTE GENERATION
und viele andere Filme von Fassbinder, die damals noch nicht jeden
Zuschauer zugänglich waren, Teil des Pflichtprogramms für die Vorbe
reitung der sogenannten »Offiziere der Kulturabteilung« (KGB) waren
die auf diese Weise nicht nur ihre Sprachkenntnisse verbesserten, son
dern auch etwas über die Realität potentieller Eindringlinge erfuhren.

Die Konzeption der Alltagswelt war bei Fassbinder so ausgeprägt, daß
viele seiner Filme nicht einmal in Archiv-Kinos gezeigt wurden, desse
Mitarbeiter sofort beschuldigt werden konnten, z.B. Propaganda fü
homosexuelle Beziehungen zu betreiben. Aber sie hätten, wenn si
rechtzeitig gezeigt worden wären, dem sowjetischen Zuschauer da
eröffnet, was in den der Form nach eher reaktionären Filmen Herzog
und Wenders nicht vorhanden war. Der einzige Film Fassbinders, de
diesem allgemeinen Los entging, war ANGST ESSEN SEELE AUF, der au
dem Festival in Cannes von der sowjetischen Kritik freundlich aufge-

ommen wurde und im »Illusion« unter der Rubrik »Kino gegen den
assismus« im Herbst 1982 gezeigt wurde.

Die erste bescheidene Fassbinder-Retrospektive fand in derselben
Illusion« im Herbst 1985 statt, ohne DIE EHE DER MARIA BRAUN. Zu
ieser Zeit war der Film im Zusammenhang mit der Antialkoholkam-
agne der neuen Macht aus dem Verleih genommen, ihn traf somit eines
er ersten Verbote der Gorbatschow-Periode, die angeblich alles
laubte. Was aber wurde gezeigt? GÖTTER DER PEST (mit einer Kürzung:
us dem Film wurde eine Einstellung mit einem Porno-Heft geschnit-
en, nach einer Demonstration wurde sie wieder aufgenommen), EFFI
RIEST, ANGST ESSEN SEELE AUF, CHINESISCHES ROULETTE, DIE SEHN-
UCHT DER VERONIKA VOSS.

1986 erhielt im Austausch gegen alle Filme der FEKS (Fabrik des
xzentrischen Schauspielers) der Gosfilmofond aus dem Filminstitut in
Düsseldorf MUTTER KÜSTERS FAHRT ZUM HIMMEL. 1987 wurde DIE
EHNSUCHT DER VERONIKA VOSS in den Großverleih gegeben. 1989-1990
urden in den Kinos des Gosfilmofond »Illusion« (Moskau) und »Spar-
ak« (Leningrad) und im Moskauer »Haus des Kinos« endlich die Filme
ATZELMACHER, DER AMERIKANISCHE SOLDAT, DER HÄNDLER DER VIER
AHRESZEITEN, DIE BITTEREN TRÄNEN DER PETRA VON KANT, SATANSBRA-
EN, DESPAIR, DEUTSCHLAND IM HERBST, IN EINEM JAHR MIT 13 Monden
nd DIE DRITTE GENERATION gezeigt. Damit der Filmverlag der Autoren
eruhigt ist: es waren keine kommerziellen Vorführungen. Lange Zeit
ar die Publikation eines russischen Buches über Fassbinder problema-
sch, zuerst aus ideologischen, dann aus finanziellen Gründen.

Übersetzung aus dem Russischen von Georg Kapitz

Hans Helmut Prinzler

Die Bewerbung

Fassbinder in der Aufnahmeprüfung zum Studium an der Deutschen Film- und Fernsehakademie Berlin

1.

Am 17. September 1966 wurde die Deutsche Film- und Fernsehakademie Berlin eröffnet. 32 Studenten und drei Studentinnen begannen damals mit ihrer Ausbildung. Nicht dabei war Rainer Werner Fassbinder. Er hatte die Aufnahmeprüfung nicht bestanden.

Jahre später, als Fassbinder berühmter war als alle Absolventen des ersten Akademiejahrgangs, wurde der Mißerfolg seiner Bewerbung den Prüfern angelastet. Nicht der Kandidat hatte versagt, sondern die Kommission. Denn sie hatte offensichtlich ein Genie übersehen. Aber setzt sich nicht jede Kommission, die über Fähigkeiten und Begabungen zu befinden hat, dem Risiko der Fehleinschätzung aus?
Es ist ziemlich müßig, Fassbinders Arbeiten aus der Aufnahmeprüfung in Berlin daraufhin zu untersuchen, ob die damalige Ablehnung begründet war. Schließlich fehlt dafür der Vergleich mit den anderen Bewerbungen. Spannend ist die Lektüre als Einblick in die Denk-, Argumentations- und Schreibweise von Rainer Werner Fassbinder im Frühjahr 1966. Er war damals 20 Jahre alt.

2.

»Sehr geehrte Herren«, schrieb Fassbinder am 3. Februar 1966 an das Sekretariat der DFFB, »falls es noch möglich ist, sich zu den Aufnahmeprüfungen an Ihrer Akademie zu bewerben, wäre ich Ihnen dankbar, wenn Sie mir die Zulassungsbedingungen mitteilen wollten. Mit vorzüglicher Hochachtung ...«

825 Interessenten hatten damals diese Bedingungen angefordert, aus die meisten müssen sie demotivierend gewirkt haben, denn bis zum Anmeldeschluß am 31. März 1966 waren nur 245 Bewerbungen in Berlin eingetroffen. Vorausgesetzt für die Teilnahme an der Aufnahmeprüfung wurden: möglichst Abiturzeugnis, anschließende Tätigkeit oder ein Studium, Alter zwischen 23 und 28 Jahren (Ausnahmen waren möglich). Als Bewerbungsunterlagen sollten eingereicht werden: Zeugnisse, Tätigkeitsnachweise, Beispiele selbständiger künstlerischer Arbeiten — also Filme, Fotos, Zeichnungen, Gedichte, Novellen, Dramen, Drehbücher usw.

Fassbinder schickte keine Zeugnisse oder Tätigkeitsnachweise, sondern schrieb: »Ich bin Schauspieler, habe aber erst jetzt Gelegenheit, die Abschlußprüfung bei der Bühnengenossenschaft zu absolvieren. Ter

1965

min: 18.4.66. Ich war noch nicht im Engagement.« Als künstlerisch
Arbeit reichte er »Parallelen. Notizen und Texte zu einem Film« ein.

Die Prüfungskommission — sie bestand aus den beiden DFFB
Direktoren Erwin Leiser und Heinz Rathsack und den Dozenten Ulric
Gregor und Peter Lilienthal — lud 74 Bewerber zur Aufnahmeprüfung
nach Berlin ein. Lilienthal notierte sich bei Fassbinder: »20jährige
Schauspieler, der für sein Alter eine bemerkenswert gute Drehbuchvor
lage eingeschickt hat.« Leiser: »'Parallelen' ist ein Ansatz und verblüffen
in seiner Schlagkraft. Soll zur Aufnahmeprüfung kommen.«

3.

Die Aufnahmeprüfung fand vom 23. bis 26. Mai 1966 in Berlin statt: i
der Villa des Literarischen Colloquiums am Wannsee, in einem SFB
Studio (Filmvorführung) und in den Räumen der Filmakademie an
Theodor-Heuss-Platz.

Geprüft wurde praktisch und schriftlich. Vom praktischen Teil ware
20 Bewerber befreit, weil sie in diesem Bereich bereits professione
gearbeitet hatten. Praktisch hieß: eine Übung mit der 8mm-Kamera
entweder als Improvisation mit Schauspielern und Requisiten im Studi
oder als Gestaltung eines freien Themas draußen oder als Reportage au
dem Alltagsgeschehen um den Funkturm herum. Man hatte 15 Minute
Aufnahmematerial, der Film sollte nicht länger als acht Minuten dauer
und ohne Ton verständlich sein.

Fassbinder hat einen Film gedreht, der leider nicht erhalten ist. A
Berater für die Beurteilung der kurzen Filme fungierte damals der Regis
seur Wolfgang Staudte. An der ganzen Prüfung (einschließlic
Abschlußsitzung) nahm Gerard Vandenberg als Berater für Fragen de
Kamera teil.

4.

Erste Aufgabe war die Beantwortung eines Fragebogens. Dafür hatte
die Bewerber — aufgeteilt in zwei Gruppen, damit niemand vom Nach
barn abschreiben konnte — vier Stunden Zeit. Es wurden 26 Fragen au
den Gebieten Film, Literatur, Theater, Politik, Kunst, Fernsehen, Natur
wissenschaft gestellt. Reine Wissensfragen waren in der Minderzahl
gefordert waren Stellungnahmen oder Erinnerungen an künstlerisch
Eindrücke. Die Kommission erwartete davon Aufschluß über die »allge
meine Orientierung der Bewerber, ihren Bildungsstand und ihr Interess
auch für andere Fragen als lediglich künstlerische.«

Fassbinders Antworten auf den Fragebogen:

Frage 1: Ein berühmter Roman aus dem 19. Jahrhundert handelt von dem Krieg zwischen Rußland und Frankreich, das damals von Napoleon beherrscht wurde.
a) Wie heißt der Roman?
b) Wer ist der Autor?
c) Haben Sie den Roman gelesen? Wenn ja, gefiel er Ihnen?
d) Wurde dieser Roman verfilmt? (Wann, von wem?)

Fassbinder: a.) *Krieg und Frieden*
b.) Leo Tolstoi
c.) nein
d.) 1956 von King Vidor (USA)
1965 in der UdSSR

Frage 2: Gibt es einen französischen Regisseur aus den 30er Jahren, dessen Werk Sie interessiert? Wenn ja, sagen Sie etwas über den Film von ihm, der auf Sie den tiefsten Eindruck gemacht hat.

Fassbinder: Jean Vigo.
Ich hatte vor Jahren Gelegenheit, »Betragen ungenügend« zu sehen. Wohl hat der Film einen tiefen Eindruck auf mich gemacht, Genaues aber kann ich nicht mehr sagen. Ich weiß lediglich noch, daß »Betragen ungenügend« mir als damaligem Internatsschüler den Wunsch eingab, später selbst Filme zu machen.

Frage 3: Was ist »Commedia dell'Arte«?
Fassbinder: »Commedia dellArte« ist die Kunst der bis ins Kleinste stilisierten und ausgewogenen Bewegung auf dem Theater.

Frage 4: Was versteht man in der Filmdramaturgie unter einer »Ellipse«? Können Sie ein Beispiel geben?
Fassbinder: (nicht beantwortet)

Frage 5: Altbundeskanzler Adenauer besuchte kürzlich Israel. Wie beurteilen Sie das gegenwärtige deutsch-israelische Verhältnis nach Abschluß der Reise?
Fassbinder: (nicht beantwortet)

Frage 6: a) Welchen Roman haben Sie zuletzt gelesen? Wie beurteilen Sie ihn?
b) Welches geistes- oder naturwissenschaftliche Buch haben Sie zuletzt gelesen? Wie beurteilen Sie es?
Fassbinder: John Rechy, *Nacht in der Stadt*.

Ich halte *Nacht in der Stadt* für einen Roman, in dem sich bester Realismus (vor allem in den Dialogen) mit dummer Geschwätzigkeit (die Selbstanalysen der Hauptfigur) ablöst.

Frage 7: Welche künstlerischen Ausdrucksmittel haben Film und Roman gemeinsam? Welche Ausdrucksmittel gibt es nur im Film und welche nur im Roman?

Fassbinder: Die Sprache. Das Nichtgebundensein an Raum und Zeit. Das geronnene Bild. Der Einsatz von Musik im Film, der innere Monolog, der Einsatz der Sprache als erzählendes Element im Roman.

Frage 8: Wenn Sie das Angebot bekämen, ein Theaterstück nach freier Wahl zu verfilmen, welches Stück würden Sie wählen? Was interessiert Sie an diesem Stoff?

Fassbinder: »Mittagspause« von John Mortimer.
»Mittagspause« hat eine kleine einfache Handlung, um die herum und aus der heraus man sicher einen Film mit sozialkritischen Akzenten machen könnte.

Frage 9: Haben Sie etwas von Beckett gesehen oder gelesen?

Fassbinder: Ja. (Murphy, Molloy, Das letzte Band, Wie es ist Endspiel, Kommen und Gehen.)

Frage 10: Wodurch wurde Darwin berühmt?

Fassbinder: Durch seine Theorie von der kontinuierlichen Entwicklung vom Kleinstlebewesen bis zum Menschen.

Frage 11: Was hat Brecht Ihrer Ansicht nach dem zu geben, der Filme machen will?

Fassbinder: Den Verfremdungseffekt, der im Film auf die verschiedensten Arten angewendet werden kann.

Frage 12: Wann fand der letzte Parteitag der Kommunistischen Partei der UdSSR statt?
Können Sie etwas über die wichtigsten Ereignisse dieses Parteitages mitteilen?
Können Sie etwas über die weltpolitische Bedeutung dieses Parteitages sagen?

Fassbinder: a) 1966
b) Ansätze zu einer Rehabilitierung Stalins. Versuche der UdSSR, mit dem chinesischen Block innerhalb des Kommunismus eine neue Freundschaft einzugehen.
c) Es wurden die ideologischen Richtlinien der kommunistischen Politik (des russischen Blocks) festgelegt.

| Frage 13: | Nennen Sie ein Ihnen bekanntes Werk von Beckett und beurteilen Sie es kurz. |
| Fassbinder: | »Das letzte Band«. |

Ein Mann versucht, mittels eines Tonbands den Wert seines Lebens zu erforschen. Aber es zeigt sich nur eine Sinnlosigkeit, die ihn dazu bringt, gänzlich (und sicher für immer) zu verstummen.

Ich halte »Das letzte Band« für Becketts bestes Stück. Hier gelingt es ihm am klarsten, die Absurdität und letztliche Sinnlosigkeit eines gelebten Lebens aufzuzeichnen.

| Frage 14: | Gibt es irgendeinen Autor, Maler, Theaterregisseur oder Komponisten, den Sie bewundern?
a) Wen?
b) Weshalb? |
| Fassbinder: | Ja. |

a.) Marcel Proust
b.) Weil für mich *»Auf der Suche nach der verlorenen Zeit«* die klarste und sensibelste Selbstanalyse ist, die ich kenne.

| Frage 15: | a) Wann waren Sie zuletzt im Kino?
b) Welchen Film haben Sie gesehen?
c) Wer waren der Drehbuchautor, der Regisseur, der Kameramann, der Produzent, die wichtigsten Darsteller?
d) Erzählen Sie kurz den Inhalt.
e) Geben Sie eine Kurzkritik des Films. |
| Fassbinder: | a.) am 20.5.1966 |

b.) EINE VERHEIRATETE FRAU
c.) Jean Luc Godard / Jean Luc Godard / Raoul Coutard / Macha Meril, Phillipe Leroy, Bernard Noel
d.) Eine Frau liegt mit ihrem Liebhaber im Bett, sie sprechen über sich. Er möchte, daß sie sich von ihrem Mann trennt und ihn heiratet. Sie müssen sich trennen, ziehen sich an, der Mann, ein Schauspieler, nimmt die Frau in seinem Auto mit in die Stadt. Auf Umwegen, mit verschiedenen Taxis, da ihr Mann sie einmal überwachen ließ, fährt sie weiter, holt den Sohn ihres Mannes vom Kindergarten ab, fährt mit ihm zum Flughafen, wo ihr Mann, der Flieger ist, mit einem Bekannten gerade angekommen ist. Sie laden diesen Bekannten zum Abendessen ein, nach dem sich ein Gespräch über die jeweiligen Ansichten zum Leben ergibt. Es folgt wieder eine Sequenz im Bett, diesmal mit dem Ehemann. Am nächsten Tag muß

der Schauspieler unverhofft zu einer Vorstellung in die Provinz fliegen. Er verabredet sich mit der Frau im Flughafenkino. Nach einem Gespräch mit ihrem Dienstmädchen und einem Besuch in einem Bad trifft sie ihren Freund im Kino, wo gerade Resnais' NACHT UND NEBEL gezeigt wird. Sie verlassen noch während der Vorstellung den Saal, und es folgt die dritte Bettsequenz dieses Films, während der sie den Schauspieler u.a. über seinen Beruf befragt. Sie wird ganz zu ihrem Mann zurückkehren.

e.) Godard nennt EINE VERHEIRATETE FRAU Fragmente zu einem Film. Die Bett-Sequenzen setzen sich aus einzelnen Einstellungen verschiedener Körperteile zusammen, die sonstige Handlung wird fortwährend unterbrochen von Reklamephotos, deren Text den jeweiligen Gefühlzustand der Heldin wiedergeben sollen. Hier liegt auch die Schwäche der »Fragmente zu einem Film«. Es scheint mir unmöglich, eine Figur zu decouvrieren, indem man sie Modejournale durchblättern läßt und sie den Wunsch haben läßt, so gestaltet zu sein, wie die Werbung das heute bestimmt. Noch dazu eine Figur wie Macha Meril, deren Gesicht eindrucksvoll und vor allem eigenwillig ist, die in den Gesprächen in der Mitte des Films über die Einstellungen zum Leben sich zur Gegenwart bekennt und deren Begründung mir die intelligenteste zu sein scheint. EINE VERHEIRATETE FRAU ist ein Film, der in den Einzelheiten wunderschön und klar, im Ganzen mir aber zu wenig durchdacht vorkommt. Dieser Eindruck mag aber auch durch den wirklich fragmentarischen Charakter des Films hervorgerufen worden sein, in dem Fehlenden läge sicher das Gesamtkonzept erkennbarer.

Frage 16: Können Sie kurz die Unterschiede zwischen der verfassungsmäßigen Stellung des Bundespräsidenten und der des früheren Reichspräsidenten skizzieren?

Fassbinder: Nein.

Frage 17: Kennen Sie einen Film, in dem ein Laiendarsteller die Hauptrolle spielt?
Wie beurteilen Sie diese Leistung?
Wie stehen Sie generell zu der Frage, ob Hauptrollen Laiendarstellern anvertraut werden können?

Fassbinder: IL POSTO von Ermanno Olmi.
Ich fand den jungen Hauptdarsteller von IL POSTO hervorragend und bin geneigt, seine Leistung als eine

der besten schauspielerischen Leistungen im Film überhaupt anzusehen. Er hatte die ganze Tragik eines von vornherein sinnlosen Lebens in seinen Augen. Es ist bei ihm wohl weniger eine Frage des schauspielerischen Könnens als der Möglichkeit, ganz er selbst geblieben zu sein.

Es ist sicher in einigen Fällen besser, mit Laien zu arbeiten. Im Ganzen bin ich aber der Ansicht, »gelernte« Schauspieler seien vorzuziehen. In den meisten Fällen verliert wohl ein Laie die Unbefangenheit vor der Kamera und damit auch den Ausdruck, dessentwillen man ihn ausgewählt hat. Es wäre nun an ihm, den Ausdruck, den er hatte, wiederzufinden. Und die Suche nach dem richtigen Ausdruck, das ist Aufgabe des Schauspielers, das ist schwer und meist eben nur mit den Mitteln zu bewältigen, die ein »gelernter« Schauspieler hat.

Frage 18:   Gibt es außer dem Film ein künstlerisches Medium, dessen Sie sich gerne bedienen würden? Wenn ja, welches und warum?

Fassbinder: Die Literatur, da mich der Umgang mit der Sprache, in welcher Form auch immer, reizt.

Frage 19:   Welche Funktionen kann die Farbe im Film übernehmen?

Fassbinder: Man kann möglicherweise den Bewußtseinsstand der Figuren oder den Gefühlszustand im Film mit Farbe verdeutlichen. Ich kenne nur ein Beispiel, wo das annähernd gelungen ist, Antonionis DIE ROTE WÜSTE.

Frage 20:   Welche größeren politischen Informationssendungen gibt es in den deutschen Fernsehprogrammen (außer Nachrichten und Kommentaren)?
             Beurteilen Sie kurz die Ihnen bekannten Sendungen.

Fassbinder: Panorama

Frage 21:   Bitte geben Sie kurz den Inhalt von Shakespeares »Hamlet« wieder.

Fassbinder: Der dänische Prinz Hamlet kommt von einem Studienaufenthalt zurück in seine Heimat, wo inzwischen sein Vater, an den er sich besonders stark gebunden fühlt, von dessen Bruder mit Wissen von Hamlets Mutter ermordet worden ist. Nach dem Mord haben die beiden geheiratet. Hamlet, dem sofort die Situation mysteriös vorgekommen war, erscheint der Geist seines Vaters, der ihm von dem

Mord berichtet. Hamlet versucht nun mit einem gespielten Wahnsinn, Mutter und Stiefvater das Gefühl der Sicherheit zu geben, während er den Mord zu beweisen sucht, Indizien sammeln möchte. Eine fahrende Schauspieltruppe kommt ihm zu Hilfe, er läßt von ihr ein Stück aufführen, in dem ein ähnlicher Mord passiert und die Mörder nach der Tat heiraten. Wohl verraten sich die Mörder nicht direkt, aber Hamlets Mutter bestellt ihren Sohn in ihr Schlafgemach, wo sie sich mit ihm aussprechen möchte. Dort meint Hamlet hinter einem Vorhang seinen Stiefvater zu erkennen, und er sticht zu. Aber es ist Polonius, der Vater Ophelias, die Hamlet liebt und auf diesen Vorfall hin wahnsinnig wird und sich später ertränkt. Hamlets Eltern wollen ihn nun umbringen lassen von zwei Studienkollegen Hamlets, aber dieser findet das Dokument und kehrt ins Schloß zurück, wo der Bruder Ophelias ihn zum Duell auffordert. Ophelias Bruder, Hamlet und dessen Stiefvater sterben während dieses Duells.

Frage 22: Welche Gedichte haben Sie zuletzt gelesen?
Fassbinder: Walt Whitman, *Grashalme.*

Frage 23: Welchen Lyriker und welches Gedicht von ihm schätzen Sie am meisten?
Fassbinder: Günther Eich, *Inventur.*

Frage 24: Bitte begründen Sie kurz Ihr Urteil.
Fassbinder: Die Situaiton des Künstlers im Krieg speziell und im allgemeinen scheint mir in diesem Gedicht am Treffendsten wiedergegeben.

Frage 25: Nennen Sie einen Film, in dem die Geräusche eine wichtige Rolle in Bezug auf die künstlerische Wirkung spielen, und begründen Sie diese Wahl.
Fassbinder: In M. Antonionis DIE ROTE WÜSTE sollen die fast fortwährend präsenten Maschinengeräusche die Einsamkeit der Hauptfigur besonders krass herauskristallisieren. Auch der Einsatz von elektronischer Musik, die sich hier kaum von bloßer Geräuschkulisse unterscheidet, soll wohl dem Krankheitszustand der Heldin einen motivierenden Hintergrund geben.

Frage 26: Was wissen Sie von Eisenstein?
Fassbinder: Eisenstein ist mit der größte Theoretiker des Films. Der Einsatz der Montage, Musik, Farbe und Schau-

spieler im Film wurde von ihm theoretisch verarbeitet
und weitergeführt.

Der Fragebogen war noch bis 1969 Bestandteil der DFFB-Aufnahmeprüfung, dann wurde er auf Drängen von Dozenten und Studenten
abgeschafft, weil er die Bewerber als »Herrschaftsinstrument der bürgerlichen Ideologie« einschüchtern könnte.

5.

Die zweite schriftlich zu lösende Aufgabe war die Adaption einer Kurzgeschichte. Die Kommission hatte dafür die Geschichte *»Der Kleine-
Mädchen-Fresser«* von Septimus Dale ausgewählt. Die Bewerber sollten
herausfinden, wie sich diese Story verfilmen ließe und ein Exposé von
drei bis fünf Seiten herstellen. Außerdem war ein Drehbuchauszug von
25 Einstellungen auszuarbeiten. Das Exposé sollte deutlich machen,
welche Elemente der Vorlage man übernehmen oder weglassen würde,
was möglicherweise hinzuzunehmen wäre. Wichtig waren die persönlichen Akzente, das Milieu, das Verhältnis der Personen untereinander.

Der Kleine-Mädchen-Fresser
Exposé von Rainer Werner Fassbinder

Eine Mutter steht mit ihrer Tochter (Miranda) an einer Straße und wartet
auf ihren Geliebten. Die Mutter ist etwa 40 Jahre alt, hat sich aber für das
Rendezvous so aufgeschmückt, daß sie etwas jünger wirkt. Wohl hat sie
etwas zuviel Make-up aufgetragen, das Kleid, etwas zu duftig für ihren
fülligen Körper, macht sie daher dicker, als sie schon ist. Ihre Tochter
heißt Miranda und ist der Cathérine Demongeot aus ZAZIE ähnlich,
trägt aber im Gegensatz zu Zazie ein mädchenhaftes weißes Sonn-
tagskleid.

Das kleine Mädchen würde gerne mit seiner Mutter sprechen, die aber
völlig auf das erwartete Erlebnis fixiert ist und kaum, und dann nur sehr
uninteressiert, auf die Fragen des Mädchens reagiert. Miranda, um doch
die Aufmerksamkeit der Mutter zu erregen, sagt, auf der Straße läge ein
toter Hund. Ihre Mutter ist sehr verärgert, als sie diese Lüge ihrer Tochter erkennt und schimpft sie aus, bis Miranda weint.

Da kommt endlich Johnny, der Feund ihrer Mutter, in einem schönen
Auto, das Miranda sehr gefällt. Johnny ist jünger als Mirandas Mutter, er
hat eine sportliche Figur und ist gekleidet wie ein italienischer Gangster
in einem amerikanischen Film. Nachdem Johnny aus dem Wagen ausge-
stiegen ist, Miranda kurz begrüßt hat, geht er auf die Mutter zu und
umarmt sie. Miranda umtanzt das Auto, als ihr aber die Umarmung zu
lange dauert, zupft sie Johnny am Ärmel und fragt ihn, wo er das Auto
herhabe. Wieder wird sie von ihrer Mutter zurechtgewiesen, die ihr sagt,
Kinder müßten und dürften nicht alles wissen.

Onkel Johnny will Miranda das Meer zeigen. Sie steigen in den Wagen
ein, und Johnny fährt los. Miranda sitzt hinten und beobachtet, wie

Onkel Johnny ihrer Mutter Schenkel erst streichelt und dann hinein kneift. Die Mutter hat Spaß daran, verweist aber gleichzeitig Johnny sowas nicht vor dem Kind zu tun.

Eine Weile bleibt Miranda still, dann meint sie, ihr Vati führe nie mit ihr ans Meer, und überhaupt sei Onkel Johnny ihr lieber als ihr Vater. Aber auch darauf reagieren die beiden vorne nicht, Johnny schaltet das Autoradio an und beschäftigt sich mit seiner freien Hand dann wieder mit Mirandas Mutter.

Lange schon betrachtet Miranda das Meer, das grau ist und dessen Küste von Abfällen verunziert wird, als Onkel Johnny sie auf das wunderschöne blaue Meer aufmerksam macht und ihr dessen endlose Weite erklärt.

Am Ende eines schmalen Pfades hält Johnny, und alle drei steigen aus. Um sich ungestört lieben zu können, wie sie es nennen, schicken sie Miranda hinunter ans Meer.

Als sie schon ziemlich nahe am Wasser ist, bemerkt Miranda einen alten Kohlen-Pier, dessen komplizierte Konstruktion sie anzieht. Aber es sieht auch ziemlich gefährlich aus dort, und Miranda braucht eine Weile bis sie sich entschließt hinzugehen.

Wie sie schon fast auf ihn tritt, sieht Miranda einen Mann, von dem lediglich Kopf und Arme aus dem Sand herausschauen, wo sein Rücken anfangen müßte, liegt ein großer Balken. Sie versteckt sich hinter einem Betonpfeiler und schaut dem Mann zu, der versucht, eine alte Konservendose mit den Händen zu erreichen, sie dann tatsächlich greifen kann und versucht, sich mit dieser Dose zu kratzen, was ihm in seiner Lage aber nicht gelingt. Da legt er seinen Kopf in den Sand und gibt ein Geräusch von sich, das wie Weinen klingt. Und als auch das verstummt, fängt Miranda an, ein Lied zu singen. Es ist die Geschichte von den Flaschen, die auf einer Mauer stehen und von denen eine nach der anderen herunterfällt.

Als Miranda bei der dritten Strophe angelangt ist, beginnt der Mann mitzusummen, und Miranda läuft zu ihm hin, da bricht er mitten in der Strophe ab und hebt die Arme gegen Miranda und gibt Laute von sich als wollte er sie erschrecken. Da bekommt Miranda Angst und läuft davon.

Neben dem Auto stehen Mirandas Mutter und Johnny, er ist gerade dabei, ihrer Mutter den Reißverschluß am Rücken zuzumachen. Miranda läuft hinzu und berichtet von dem Mann, den sie unten am Pier gesehen hat, aber ihre Mutter glaubt ihr nicht und befiehlt ihr, still zu sein. Als aber Miranda nicht aufhört, von dem Mann zu erzählen, von dem nichts als sein Kopf und seine Arme aus dem Sand herausgeschaut haben, ergreift Johnny das Wort. Er sagt Miranda, das sei sicher der Kleine-Mädchen-Fresser, der immer nur herauskomme, um mit kleinen Mädchen kurzen Prozeß zu machen. Da sagt Miranda nichts mehr, steigt mit ihrer Mutter und Johnny in das Auto, das davonfährt.

Der Kleine-Mädchen-Fresser

(Ausschnitt aus dem Exposé
in Form eines Drehbuchs)

(1) Aus dem Seitenfenster eines großen amerikanischen Wagens kurzer Blick auf das Meer und den Strand davor.

(2) Von außen das Mädchen Miranda hinter der Scheibe, die mit großen interessierten Augen hinausschaut.

(3) Fahrt am Meer entlang. Das Wasser ist graugrün und am Strand liegen Abfälle. Nach einer Weile

Johnny im Off:	Schau Miranda. Das ist das Meer. Blau und groß und schön. Siehst du das?
Miranda im Off:	Ja.
Johnny im Off:	Und das Wasser hört nie auf. Es ist endlos. Verstehst du das?
Miranda im Off:	Ja.
Johnny im Off:	Ist doch ganz einfach. Hier ist Amerika und da drüben irgendwo, soweit weg, wie du gar nicht denken kannst, da ist Afrika. Da gibt's noch viel mehr Neger als hier.
Nach einer Weile Miranda im Off:	Ich mag das Meer nicht

(4) Johnny im Profil. Er zuckt mit den Achseln.

Johnny: Ja kannst mir machen. Das Kind hat seinen eigenen Willen.

Die Mutter im Off: Schlimm genug.

(5) Miranda nah. Sie schaut traurig in die Kamera.

Miranda: Warum?

(6) Die Mutter aus der S.Pkt Mirandas von hinten.

Mutter: Weil Kinder keinen eigenen Willen haben sollen.

(7) Miranda wie in 5

Miranda: Warum nicht?

Mutter im Off: Kinder sollen gehorchen.

(8) Die Mutter im Profil, etwa aus der Sicht Johnnys

Mutter: Frag Onkel Johnny. Der wirds dir auch sagen.

(9) Johnny und die Mutter aus der S.Pkt Mirandas. Beide schauen geradeaus nach vorn. Nach einer Weile

Mutter: Du sagst ja gar nichts. Soll ich sie denn immer ganz allein er-ziehen?

(10) Miranda wie in 5 Noch eine Weile

Johnny im Off: Wir sind gleich da. In zwei Mi-nuten. Bis dahin wirst du's doch noch aus halten.

(11) Johnny biegt auf einen schmalen Weg ab.

(12) Johnny von vorn.

Johnny: Wir sind wirklich gleich da.

Er zwinkert ihr zu.

(13) Miranda wie in 5

(14) Die Mutter von vorn

Mutter: Na endlich.

Sie lächelt zu ihm.

(15) Die beiden aus der Sicht Mirandas von hinten. Johnny stoppt am Ende des schmalen Weges den Wagen

Johnny. So. Alles aussteigen.

Er steigt aus, gleich darauf auch die Mutter, die um den Wagen herum läuft, ihm in die Arme.

Fassbinder hat gegenüber der literarischen Vorlage vor allem die Erzählerperspektive verändert. Bei Septimus Dale steht der geheimnisvolle Mann am Strand — Mason — im Mittelpunkt. Er ist durch einen heruntergefallenen Balken in eine gefährliche Lage geraten, aus der er sich nicht selbst befreien kann. Wenn die Flut kommt, ist er verloren. Miranda — der Fassbinders zentrales Interesse gilt — hat bei Dale zunächst eine geringe Präsenz. Sie kommt mit der Mutter und deren Liebhaber Johnny ans Meer und könnte für Mason zum rettenden Engel werden. Spannungsmoment der Erzählung ist: Wird der Mann am Strand aus seiner tödlichen Lage befreit? Fassbinder macht aus der ganzen Geschichte das Psychogramm eines einsamen Mädchens. Er verzichtet dafür sogar auf die Pointe des literarischen Textes. Nach Johnnys Schreckensgeschichte fahren bei ihm die Drei wieder nach Hause. Der Mann am Strand bleibt sich selbst überlassen. Bei Septimus Dale kehrt Miranda zu dem Mann zurück. Das liest sich so:

»Miranda tat sich nicht leicht mit dem flachen, schweren Stein, aber sie war beinahe dort. Sie zitterte. Sie fürchtete sich, der Kleine-Mädchen-Fresser würde heraus- und auf die zuspringen, während sie sich durch die Balken schlängelte.

Sie wußte, das war der Mann, der kleine Mädchen fraß, wie Mammys Freund Johnny gesagt hatte. Sie erinnerte sich an das Blut auf seiner Hand und an die Art, wie er gebrüllt und geschrien hatte, als sie wegliefen genauso wie der Tiger im Zirkus. Er war ein grausamer, brutaler Mann, der aus dem Boden sprang und kleine Mädchen wie Miranda verschlang, die unter seinem Pier spielen wollten.

Sie kletterte über den letzten Balken. Er war noch immer da.

Mason sah sie. Das Wasser leckte an seinen Fußknöcheln. Er schaute auf das kleine Mädchen; unter enormen Anstrengungen schob sie einen großen, flachen Stein auf ihn zu; der Stein war beinahe so groß wie das Kind.

'Du bist ein gutes Mädchen', sagte er matt. ,Bitte, tu etwas für mich schnell.'

Die Gischt sprühte schon auf seinen Rücken.

Miranda bückte sich und schob den Stein über Masons Kopf.

Der herunterfallende Stein zertrümmerte Masons Schädel.

Miranda lief fort. Sie war glücklich. Mammy würde sich freuen. Sie hatte den bösen Kleine-Mädchen-Fresser getötet.«

6.

Eine weitere schriftlich zu lösende Aufgabe war die Beurteilung eines Films. Es stand den Bewerbern frei, diese in Form einer Tageskritik, einer Abhandlung für eine Fachzeitschrift oder einer Analyse zu verfassen. Wert wurde auf die Begründung eigener Ansichten gelegt. Zur Auswahl standen drei Filme: DIE GESCHICHTE DER NANA S. (Godard), der Kurzfilm DIE BRÜCKE ÜBER DEN EULENFLUSS (Robert Enrico) und die Fernsehdokumentation BEAT IN OBERBAYERN.

Fassbinder schrieb über DIE GESCHICHTE DER NANA S.:

Die Geschichte eines Bewußtseins — »Vivre se vie«

VIVRE SA VIE, Jean-Luc Godards vierter langer Film, ist zweifelsohne bis heute des Autors bester geblieben. Er ist gleicherweise ein Lehrstück, im Sinne Brechts, ein Film über eine junge »moderne« Frau, eine Dokumentation zum Thema Prostitution und eine Studie über Bistros und Straßenleben in Paris.

Die eigentliche GESCHICHTE DER NANA S., wie der Film in Deutschland hieß, ist schnell erzählt. Nana verläßt den Mann, von dem sie ein Kind hat, »weil es nicht geklappt hat«, obgleich sie sich mochten, und weil sie ihre Freiheit zurückhaben will. Aber jetzt zeigt sich erst richtig, daß sie keine Begabung hat, einfach vor sich hin zu leben, und als ihre Geldsorgen immer drückender werden, entschließt sie sich, Prostituierte zu werden. Dennoch bleibt sie bis zu ihrem Tod am Schluß des Films, der schrecklich sinnlos ist, im Grunde rein. Sie wird zwischen rivalisierenden Gangstern erschossen.

Godard stellt seinem Film einen Satz von Montaigne voran: »Man muß sich den anderen hingeben und sich selbst treu bleiben.« Mit gerade diesem Satz im Rückhalt macht er sich daran, die Stationen der Bewußtwerdung eines Menschen zu zeigen.

Er teilt die Geschichte in zwölf Kapitel und unterbricht den Handlungsfluß mit den jeweiligen Kapitelüberschriften, wodurch dem Zuschauer nie eine Identifikation erlaubt wird, er wird gezwungen mitzudenken.

Jede Station findet einen klaren Ausdruck — am Anfang beispielsweise die Geschichte vom Huhn, das aus einem Äußeren und einem Inneren besteht, nimmt man das Äußere, bleibt das Innere, und nimmt man auch das, dann bleibt die Seele — und wird außerdem deutlich gemacht von der Themenmelodie, die an diesen Punkten regelmäßig auftaucht.

Weitere Stationen sind Nanas Erleben der Leidensgeschichte der »Jeanne d'Arc« von Th. Dreyer, ihr Ausspruch: »Ich will eine andere werden«, nach einem Verhör bei der Polizei, der erste Mann, dem sie sich für Geld hingibt (in einer schrecklichen Szene), ihr Bekanntwerden mit der Prostitution in Paris, das Kennenlernen eines jungen Mannes, den sie lieben wird, die Erkenntnis der Austauschbarkeit ihrer Person, das Gespräch mit dem Philosophen Brice Parain über die Sprache und die Liebe.

VIVRE SA VIE ist ein Film über das Bewußtsein, ist gleichermaßen aber auch ein Film über die Sprache, den Umgang mit ihr, und ein Film über die Liebe. Die Sprache sei das Wichtigste, sagt der Philosoph, die Liebe, meint Nana. Der Philosoph gibt ihr recht, wenn es wahre Liebe sei.

VIVRE SA VIE ist ein Film über die Liebe und die Sprache. Nana und der junge Mann lieben sich, Godard drückt das so aus: der junge Mann liest Nana aus »Das ovale Portrait« von Edgar Allen Poe einen Ausschnitt vor, der auch für seine, Godards, ganz private Liebe zur Darstellerin der Nana steht.

Anna Karina spielt sie, und sie ist ein Wunder an Echtheit, Glaubwürdigkeit und Leben. Ihr verdankt der Film einen großen Teil seiner Überzeugungskraft und Größe.

Fassbinder in einem Interview: »Es gibt einen Film von Godard, den ich 27 Mal gesehen habe, das ist VIVRE SA VIE, das ist der Film, der für mein Leben zusammen mit VIRIDIANA (von Buñuel) der wichtigste Film gewesen ist.«

Die Kritik eines Films (zwei werden zur Auswahl vorgeführt) gehört noch heute zur Aufnahmeprüfung an der DFFB.

7.
Die nächste Aufgabe: Analyse einer Spielfilmsequenz. Den Bewerbern wurde die erste Sequenz des Films EIN ZUM TODE VERURTEILTER IST ENTFLOHEN von Robert Bresson vorgeführt. Den Titel erfuhr man nicht. Es kam auf sorgfältige Detailbeobachtung an, auf das Erkennen der Gestaltungsmittel, ihre Beschreibung und Bewertung, sowie eine zusammenfassende Gesamtbeurteilung.

Fassbinders Analyse:

Die gezeigte Sequenz zeigt die mißlingende Flucht eines Gefangenen aus einem Wagen, vom ersten Ansatz bis zu ihrer letzten Konsequenz.

Die Sequenz setzt sich aus etwa 40 Einstellungen zusammen, von denen jede einzelne von klarer Einfachheit ist und auf eine äußerliche Schönheit verzichtet.

Die Einstellungen haben ihren Sinn nur mit der jeweils vorangegangenen und geben ihn der nachfolgenden.

Die für die Flucht nötigen Voraussetzungen, der Flüchtling, seine Hand, der Türgriff im Inneren des Wagens, ein Fuhrwerk und eine Straßenbahn, die das Gefangenenauto zwingen oder beinahe zwingen anzuhalten, werden klar und deutlich aufeinander bezogen. So ist in ziemlich schneller Folge zuerst der Flüchtling zu sehen, der nach vorne schaut darauf die Staße, wo ein Fuhrwerk möglicherweise das Transportauto gleich zwingen wird anzuhalten, dann die Hand des Flüchtlings, die sich dem Türgriff nähert.

Bis zum Moment der Flucht wechseln die Einstellungen in ziemlich schneller Folge, danach sehr viel langsamer, da der Hauptdarsteller aus der Aktivität in die Passivität gezwungen worden ist. Er hatte für die Flucht wenig Zeit, die Polizei hat für die Bestrafung viel Zeit.

Die große Macht der Polizei und damit die wirkliche Bedeutung der Flucht wird weniger an den letzten Einstellungen mit dem zusammengeschlagenen Flüchtling gezeigt, als vielmehr gleich bei der Flucht an den beiden anderen Gefangenen, die es noch nicht einmal wagen, sich umzudrehen, als hinter ihnen geschossen wird.

Sehr feinfühlig zeigt der Regisseur nicht die Mißhandlung, die den

...lüchtling wiederfährt, und auch danach wird dieser erst auf einer Bahre zugedeckt vorbeigetragen, so daß der Zuschauer sich selbst sein Bild von dem Geschlagenen machen kann und dann, wenn er das entstellte blutige Gesicht sieht, nicht völlig im Erschrecken darüber aufgeht, sondern schon über seine Meinung über eine solche Behandlung nachdenken kann.

Die Sequenz ist bis ins Kleinste durchdacht. Alles Überflüssige ist weggelassen, der Regisseur beschränkt sich auf das Wesentliche.

Fassbinders relativ kurzer Text verzichtet — im Gegensatz zu anderen Bewerbern — auf das orthodoxe Instrumentarium einer Sequenzanalyse. Er dringt ganz schnell in das Zentrum des Films selbst vor und beschreibt dadurch sehr eindrücklich den Charakter des Bresson-Films und die Haltung seines Regisseurs.

°.

Die Bewerber hatten die Möglichkeit, sich durch einen zusätzlichen Text der Kommission erkennbarer zu machen. Fassbinder wählte die Form eines Briefes und schrieb:

Berlin am 24.5.66

Lieber Herr L.,
Da Sie als Produzent sicher sehr wenig Zeit haben, möchte ich mich noch einmal ganz besonders für das doch recht lange und freundliche Gespräch bedanken.

Unsere gemeinsame Freude an Chagall ehrt mich, und daher habe ich mit großer Sorgfalt das seiner Bilder ausgesucht, das mich im Moment am meisten anregte, es zu verfilmen. Es ist »Das Mädchen auf dem Pferd«.

Möglichst kurz die Handlung. Es ist eine Romeo-und-Julia-Geschichte, die auch ein wenig an das »Käthchen von Heilbronn« erinnern soll, das ich sehr liebe.

Alexis und Jeanne haben sich auf einem Volksfest gesehen und wußten gleich, daß sie zueinander gehören. Aber die Familien sind zerstritten, und so sperrt der Vater seine Tochter ein.

Der junge Mann jedoch ist nicht von seiner Hoffnung abzubringen, Tag für Tag verbringt er vor ihrem Haus, und schließlich schläft er sogar dort.

Da verliert ihr Vater die Geduld und macht einen grausamen Vorschlag. Sie dürfen sich sehen und lieben, auf dem Marktplatz, der Junge wird Geige spielen, das Mädchen auf einem Pferd sitzen. Und solange sie beide dazu die Kraft haben, solange wird die Liebe dauern.

Das Mädchen wird in ein Kloster kommen, der Junge hat sie zu vergessen. Es kommt zu der Szene auf dem Marktplatz, aber die Menschen, vorher noch bereit, über die beiden zu lachen, haben plötzlich erkannt, daß hier etwas Großes vorgeht, und sind Zuhause geblieben.

Die beiden sind allein auf dem Marktplatz. Sie sitzt auf dem Pferd, da ausharren wird, er spielt Geige.

Das über die Geschichte, und es ist sicher nicht leicht, sie filmisch zu verarbeiten, aber wenn Sie mir ein paar kleine Wünsche gestatten und erfüllen können, dann glaube ich doch, daß mir ein schöner Film gelingen wird.

Zuerst die Darsteller. Das Mädchen würde ich gerne, so irgend möglich, von Anna Karina spielen lassen, den jungen Mann von einem Schauspieler, der noch nicht bekannt ist, dessen Kunst ich aber sehr schätze und den ich überhaupt dabei haben sollte, wenn ich arbeite. E wird ihm möglich sein.

Als Drehort wähle ich Bad Wimpfen, einen kleinen Ort in Baden nahe Heilbronn. Sie mögen ihn vielleicht nicht kennen, aber Bad Wimpfen ist eine Stadt, in der meine Geschichte tatsächlich passieren oder passiert sein könnte.

Ich sähe auch während der Dreharbeiten gerne jeden Tag einen Film außerdem wäre ich für einen kleinen Vorschuß auf die Gage dankbar, ich habe oft arg Hunger.

Auch mit reiflicher Überlegung fallen mir nicht mehr Bedingungen ein, die ich stellen könnte. Ich bin sicher, unter diesen Voraussetzungen eine gute Arbeit abzuliefern.

Mit hoffnungsvollen Grüßen
Ihr R. Fassbinder

9.
Auch dieser herzzerreißende Brief hat die Prüfungskommission nicht gerührt. Aufzeichnungen über die Einschätzung von Fassbinders anderen Arbeiten in der Aufnahmeprüfung sind nicht überliefert.

10.
Es bestanden die Prüfung:
Jörg Michael Baldenius, Hans Beringer, Hartmut Bitomsky, Karl-Dieter Briel (gestorben im Dezember 1988), Gerd Conradt, Gerd Delp, Enzio Edschmid, Lutz Eisholz, Harun Farocki, Bernd Fiedler, Wolf Gremm (Regisseur des Films KAMIKAZE 1989, in dem Fassbinder die Hauptrolle spielte), Frank Grützbach, Thomas Hartwig, Utz Kempe, Ulrich Knaudt, Gerda-Katharina Kramer, Josef Kristof (gestorben im Juli 1969) Wolfgang Krone, Holger Meins (gestorben nach einem Hungerstreik in November 1974), Hilmar Mex, Hans Rüdiger Minow, Thomas Mitscherlich, Jean-Francois le Moign, Skip Norman, Wolfgang Petersen Balz Raz, Helke Sander, Wolfgang Sippel, Peter Schirmann, Daniel Schmid (Darsteller in HÄNDLER DER VIER JAHRESZEITEN, Regisseur von SCHATTEN DER ENGEL), Gerry Schum (gestorben im März 1973), Günter-Peter Straschek, Irena Vrkljan, Max Willutzki, Christian Ziewer.

DEUTSCHE FILM- UND FERNSEHAKADEMIE BERLIN GMBH

Eingang-Nr. *4.36.*　　　Zeichen des Prüfenden: ......

Name des Bewerbers: *Fassbinder*　Vorname: *Rainer-Werner*

_____

		Punktzahl (1 - 10)	Ergebnis:

1.) Allgemeine Vorbildung (Besuch
    allgemeiner Schulen, Hoch-
    schulen, Fachschulen - ausser
    für Film, Fernsehen, Fotografie -
    fachfremde Berufstätigkeit, Quali-　*5* x 2 *10*
    tät der Zeugnisse)

2.) Fachliche Vorbildung
    (Ausländische Filmhochschulen,
    Fachschulen für Film, Fernsehen,
    Fotografie, Schauspielschulen,
    Berufstätigkeit in Film, Fern-　　*3* x 3 *9*
    sehen, Theater, Fotografie)

3.) Filme und sonstige eigene
    Arbeiten　　　　　　　　　　　*2* x 4 *8*

4.) Gesamteindruck　　　　　　　*5* x 4 *20*

Gesamtpunktzahl: *47*

Wird der Bewerber zur Aufnahmeprüfung vorgeschlagen: *ja* / nein

Besondere Bemerkungen des Prüfenden:

nicht genügend vorgebildet
Filme: nicht ausreichend. —

Verkündung des Prüfungsergebnisses,
DFFB 1966

11.

1967 bewarb sich Fassbinder noch einmal bei der DFFB. Er schickte zwe
Filme ein (DER STADTSTREICHER und DAS KLEINE CHAOS), das Buch z
einem Fernsehspiel (»Tischtennis«), und zusammen mit der Bewerberi
Susanna Schimkus ein Buch zu einem Fernsehspiel (»Das dreißigst
Jahr«). Meinungen aus der Vorauswahlkommission: »Nicht genügen
vorgebildet. Filme: nicht ausreichend.« »Fernsehspiel im Dialog gu
unprätentiös.« »Zweite Bewerbung. Habe ,Tischtennis' gelesen. Seh
bemüht, aber leider kein Ansatz. Trotzdem — vielleicht sollte man e
versuchen, falls eigene Filme hoffen lassen.« »Filme noch immer nich
ausreichend.«

Fassbinder wurde nicht zur Prüfung eingeladen.

12.

Im Juni findet die 27. Aufnahmeprüfung an der DFFB statt. Nieman
kann ausschließen, daß dabei wieder ein Genie übersehen wird.

Mit Kurt Raab, Ingrid Caven, Margit
Carstensen, Brigitte Mira und Ulli
Lommel bei den Internationalen
Filmfestspielen Berlin, 1972

Mit Irm Hermann, Katrin Schaake und
Margit Carstensen bei den Internationalen
Filmfestspielen Berlin, 1972

Mit Bundesinnenminister Gerhard Baum
und Gert Fröbe, Bundesfilmpreisverleihung
für DESPAIR — EINE REISE INS LICHT, 1978

Brooks Riley

Fassbinder, Filmmaker, Friend

»We're going down to Goethe's house, but Goethe's not at home.« I remember how playfully Rainer Werner Fassbinder led his own refrain, which we sang yearly on the occasion of the Goethe Haus party celebrating German films at the New York Film Festival. Fassbinder always had a film in the festival, sometimes more than one.

Those days are long over, when Fassbinder was still alive, when the Young German Cinema was still alive und flourishing. He and the others were breaking new ground — Wenders, Herzog, Syberberg, Schlöndorff, Schroeter and Kluge, each in a different direction. Young German Cinema was an answer to the Nouvelle Vague, but more iconoclastic, less a movement than a coincidence of creativity and innovation.

Of them all, Fassbinder was the most prolific, the most inventive. While the others clung to their European roots or rejected them, Fassbinder looked to American film only for the means with which to examine his own environment. The lamp he shone on the post-war bourgeois German society burned too brightly for many at home, where Fassbinder was better kuown as an enfant terrible — with emphasis on the 'terrible' — than as the great artist he was considered to be by the rest of the world. Now, ten years after his death, Germans will have a chance to reexamine and re-appraise his work from a safer distance. I think they will be astonished by what they see.

My friendship with Fassbinder grew out of my work as an editor of Film Comment. I was one of the first to interview him on his first visit to New York, in 1975, and we later published his article on Douglas Sirk. I saw him twice-yearly at the Cannes and New York Film Festivals, and once in Munich, where I went to see some of his other films for a postgraduate study.

Fassbinder was not an easy man to know. He was deeply suspicious of strangers and often rude. He stood up interviewers and arrived late or not at all at scheduled festival appearances. But there was also another Fassbinder — sensitive, shy, affectionate, trusting, with a gentle sense of humor. In many ways, his films reflect the dual nature of his personality. He wanted to shock the audience, but also to win it over through sheer emotional intensity.

In the presence of filmmakers he admired, Fassbinder let his guard down, and even allowed himself to be awestruck. He was so accustomed to his outsider role in society that I think he half-expected to be exluded by that rarefied company. I once arranged a dinner for Bertolucci and Fassbinder to meet. In the mild night air of Cannes, they exchanged accolades across the table, each dazzled by the other's presence.

SCHATTEN DER ENGEL, Regie: Daniel Schmid, 1975

Fassbinder often marveled at his own productivity, quite as though his art were an engine running independently of his will. He made films at the speed of a man living on borrowed time. As is turned out, he was.

He 'lived hard and died young,' as the song goes. But he accomplished more in his short life than many over a long lifetime of abstinence. He was driven to create and he was driven to self-destruct, both impulses vying for supremacy over his destiny — both winning, in the end.

I miss him still.

Rainer Werner Fassbinder

Whity

Eine Mutter ist schwarz, und ihr Sohn sagt, ich will nicht, daß du diese Lieder singst. Welche Lieder? Schwarze Lieder! Der Sohn ist ein Mischling. Whity!

Ein alter Mann hat zum zweiten Mal geheiratet. Seine junge Frau ist eine Hyäne. Man kann Menschen eine Spritze geben, dann schlafen sie ein. Für immer.

Zwei Brüder, einer ist ganz blöd, beim anderen kann man's nie so genau sagen. Der alte Mann ist schnell mit der Peitsche.

Ein Mädchen singt in einem Western-Saloon. Das Mädchen ist schön. Der Mischling liebt das Mädchen. Was will'n der Nigger hier, sagt einer und die Rose, die das Mädchen ihm geschenkt hat, hält er in der Hand als er zusammengeschlagen im Dreck liegt. Sein Anzug ist hell.

Eine Frau betrügt ihren Mann. Mexikaner sind dumm. Ich liebe dich sagt sie und — schlag mich. Sie hat wie die meisten hier die Fähigkeit den Schmerz zu genießen.

Bring meinen Vater um, sagt ein Bruder. Whity nickt. Man muß den Schwarzen mehr Rechte einräumen, sie kommen dann weniger auf dumme Gedanken.

Der andere Bruder liebt Whity, Whity schlägt ihn. Whity küßt ihn. Irgendwo ist eine Zärtlichkeit, die hat keinen Raum in den Köpfen dieser Menschen.

Davie muß sterben.

Die Sängerin hat einen Plan. Whity, go to east! Whity sagt: Nie. Er liebt seine Familie.

Sie haben recht, wenn sie dich schlagen. Weil — du hast es ja gern wenn sie dich schlagen.

Ein Vater peitscht seinen Sohn. Der ist stumm. Sein Mund ist weit aufgerissen zum Schrei. Kein Ton. Er läßt sich für Davie schlagen. Wahnsinn!

Ein Mann erschießt einen anderen Mann. Ein Mädchen sieht zu. Da war eine Intrige. Die ist nicht wichtig, es sei denn, man braucht eine Intrige. Und der Schmerz läßt eine Frau sagen: Mörder. Sie sagt es auf spanisch.

Ben wird sterben. Bring Frank um. Der Besitz ist dann unser. Es geht immer auch um Besitz.

Ich habe einen schwarzen Sohn, sie wissen das vielleicht.

Die Starken quälen die Schwachen. Wer Intrigen braucht, es gibt viele. Und Blumen. Und Haß. Warum hast du meinen Vater nicht ermordet? Warum hast du Frank nicht ermordet, ich hatte dich doch so darum gebeten.

Ich werde bald sterben. Das Testament endet: Ben Nathanael Richard Nickolson.

Weißt du, warum dein Vater den Mexikaner erschossen hat? Schnaps und Karten. Und schöne Lieder.

Whity bringt vier Menschen um. Den Vater. Die junge Frau. Die beiden Brüder. Wo Gewalt herrscht, hilft nur Gewalt.

Whity und das Mädchen werden verschwinden.

Hanna Schygulla

Wie alles anfing

Er ist noch ganz klein, erst drei oder vier Jahre alt, und schon ist er wo hinaufgeklettert, wo es absolut verboten ist. Es ist der Altar einer Kirche und er will sich da auch partout nicht herunterholen lassen. Das ist schon typisch Rainer Werner Fassbinder!

Und auch das ist typisch, als er ein paar Jahre später mitten im Unterricht aufsteht und sagt: »Ich gehe jetzt, mir ist es zu langweilig bei Euch.« Und die Kleine aus derselben Klasse, die eines Tages bei seiner Mutter klingelt, um ihr mit einem artigen Knicks mitzuteilen, »daß der Rainer in Wirklichkeit gar nicht schlimm ist, wie sie alle sagen«, heißt Marion — wie zehn Jahre später die Heldin seiner ersten Fernsehserie ACHT STUNDEN SIND KEIN TAG auch Marion heißt ... und ich bin es, die die Marion spielt.

Es war auf der Schauspielschule, da bin ich ihm zu ersten Mal begegnet, dem Jungen mit dem Pickelgesicht, der so unwahrscheinlich schüchtern und frech zugleich ist, mit dieser Mischung aus Pantherblick und Samtaugen. Der Zufall hat mich auf dieselbe Schule geführt, weil es mir auf der Uni langweilig geworden war und mir jemand mit glänzenden Augen vom Schauspielunterricht erzählt hatte. Schauspielerin? Ja warum eigentlich nicht!

Dort ist er also auch gelandet, weil er bei der Aufnahmeprüfung für die Filmhochschule durchgefallen ist — er, der immer schon wußte, daß er einmal Filme machen wird. Also mußte er es eben anders lernen, indem er zwei- bis dreimal täglich ins Kino geht, und über den Umweg als Schauspieler, zu dem er verdammt viel Talent mitbringt, ebenso wie für alles andere.

Wir haben übrigens sehr gut zusammen gespielt, er als Meckie Messer und ich als Polly in einer Fassbinderversion der »Bettleroper« auf bayrisch.

Mit Hanna Schygulla, 1980

Jedesmal, wenn wir zusammen spielten, lief das sehr körperlich. Er zieht mich, ich fliege in seine Arme — er stößt mich zurück, ich biege mich nach hinten — und dann in die Knie, Auge in Auge, ineinander versunken, als wär's für die Ewigkeit — oder auch umgekehrt: jeder schaut in eine andere Richtung, der Blick in die Ferne verloren ... ein ganzes Alphabet der Gesten, Gesten der Liebe und der Ablehnung auf Umwegen.

Seit unserem ersten Kontakt läuft unsere Beziehung auf Umwegen. Als ich ihn zum ersten Mal auf der Schauspielschule bemerkte, habe ich, soweit ich mich erinnern kann, gedacht: »Der da, der mag mich nicht.« Sehr erstaunt war ich dann, als er mir — natürlich auf Umwegen über jemand anderen — sagen ließ, daß ihm sehr gut gefallen hat, wie ich

Mit Hanna Schygulla bei
»Stars in der Manege«, 1980

meine erste Szene auf der Schauspielschule ›hingelegt‹ habe. Das wa
eine Szene aus Goethes »Geschwistern«, einem Stück, das mir damals arg
altmodisch vorkam. Ich spielte die verliebte Schwester, die, tief übe
ihren Sitzrahmen gebeugt, ihre verbotene Liebe zu dem Bruder zu ver
bergen sucht. Wie konnte das nur dem Rainer gefallen, der doch gan
offensichtlich ein Rebell und enfant terrible war. Das hat mich scho
erstaunt.

Als ich die Schauspielschule vorzeitig wieder verlasse — ein paa
Monate haben schon genügt, um mit der Schauspielerei nichts mehr z
tun haben zu wollen —, habe ich nicht die geringste Ahnung davon, wel
che Rolle R. W. F. in meinem Leben noch einmal spielen würde. Zuden
hörte ich ihn einmal sagen, er wolle mit Steinböcken nichts zu tu
haben, weil das die Schlimmsten seien. Und ich bin Steinbock.

Ich war also höchst erstaunt, als er ein Jahr später nach mir gesuch
und mich auch gefunden hat. Auch er hat die Schule vorzeitig verlasse
und er landet dort, wo er viel mehr an seinem Platz ist, in einer Under
groundtheatergruppe. Als eine der Protagonistinnen einen Unfall hat
falle ich ihm plötzlich wieder ein, das heißt eigentlich war es gar nicht s
plötzlich, wie ich später erfahren habe, sehr viel später, erst gegen End
der 13 Jahre unserer Zusammenarbeit. Denn er habe, wie er sagte, be
unserer ersten Begegnung noch auf der Schule von einem Augenblic
zum anderen gespürt, »ihn habe ein Blitz der Erkenntnis getroffen«, daf
dieses Mädchen, das ich war, eines Tages der Star seiner Filme sei
würde. Und auch das hat er mir wiederum nicht direkt gesagt, sonder
auf dem Umweg über Gedrucktes.

Auch ich habe von Anfang an gespürt, daß er »mein« Regisseur war
ohne daß wir allzuviel gemein hatten, weder den Spaß an denselben Ver
gnügungen, noch dieselben Ansichten, außer vielleicht einer tiefen Vor
liebe fürs Labyrinth der Widersprüche … aber all das, ohne daß wi
wirklich darüber gesprochen hätten, weder über das Gemeinsame, noc
über das Trennende. Ich kann mich nicht erinnern, RWF jemals danac
gefragt zu haben, warum denn die Liebe »kälter ist als der Tod«, obwoh
für mich die Liebe eigentlich eher das Gegenteil ist.

Außerdem ging es, bei seiner Art, Regie zu führen, meistens ohne Dis
kussion und Erklärungen ab. Er hat es mit seinem Charisma gemacht
Wo immer er aufgetaucht ist, hat er die ganze Atmosphäre schlagartig
verändert, zum Guten oder zum Schlechten. Ähnlich, wie wenn man
Negative ins Photobad steckt, hat er so manches zum Vorschein
gebracht, was vorher nicht sichtbar war. Giftiges in grellem Leuchter
oder versteckte Zartheiten. Wenn er am Drehort erscheint, geht ein Rau
nen durch die Reihen. »Achtung, der Hexer kommt!« Hoffentlich ist e
in guter Stimmung, und es gelüstet ihn nicht nach Adrenalin.

Da RWF selber auch Schauspieler ist, macht es ihm Spaß, bei Gelegen
heit manch eine Rolle anzuspielen. Bevor er eine Einstellung dreht
nimmt er selbst für die Kamera und die Darsteller die Positionen ein, di
er braucht, um die Bilder zu erzeugen, die er bereits im Kopf hat ode
vielmehr sogar meist schwarz auf weiß in Form von kleinen schnell hin-

Hanna Schygulla

Le Mariage de Maria Braun

un film de
R.W. Fassbinder

德意志联邦共和国电影周

莉莉·玛莲

玛丽娅·布劳恩的婚姻

德意志联邦共和国电影周

gefetzten Zeichnungen ... und während er also die Wege der Schauspieler abgeht, skizziert er dabei ganz leicht und manchmal ein wenig karikierend, was er haben möchte, und manchmal sagt er dann noch »Ungefähr so oder auch anders«. Und wir sind seine Marionetten, bei denen er auch ein gewisses Eigenleben auslösen kann, denn es gibt Raum zwischen den Maschen seiner Gewebe, eine gewisse Lässigkeit, mit der er bei aller Manipulation die Dinge auch einfach geschehen lassen kann. Und manchmal sagt er: »Noch einmal bitte. Das war mir irgendwie zu gemacht.« Oder aber es kommt ganz im Gegenteil: »Das gefällt mir nicht. Das ist mir zu natürlich, zu normal.« Und zu Jeanne Moreau sagt er einfach nur: »Just be great.«

Am Anfang ist RWF immer, wenn ihm bei Drehen etwas gelungen ist, herumgehüpft wie ein glückliches Kind. Später hatte er den gleichmütigen Raubtierblick eines Imperators, der sich den Luxus erlaubt, seine Phantasmen leibhaftig vor sich auftanzen zu lassen, Alleinherrscher und Sklave zugleich dieser Besessenheit (die er selber eine Form von »Geisteskrankheit« nennt), sein Leben auf Umwegen über Filme zu leben, einen Film nach dem anderen zu machen, ohne Pause. Dahinter steht vielleicht auch schon die Langeweile desjenigen, der nur zu gut zu manipulieren versteht und dem es mehr und mehr am Unerwarteten fehlt.

Aber wer kann schon in wen auch immer wirklich hineinschauen. Jeder trägt sein Geheimnis und wohl auch seinen Tod in sich. Man hat seinen Körper nachts vor dem leer flackernden Fernsehschirm gefunden, von den Werkzeugen seiner Arbeit umgeben, Blättern, Stiften, angefangenen Drehbüchern. Er hat zuletzt an mehreren Projekten zugleich gearbeitet. Ist er so jung gestorben, weil er sich so beeilt hat, oder hat er sich so beeilt, weil er so jung sterben sollte? In seinem letzten Interview, nur ein paar Stunden vor seinem Tod und schon gezeichnet von totaler Erschöpfung, sagt er: »Vielleicht muß man durch die Hölle durch, um in einer besseren Welt anzukommen« ...
LEBEN — ein Licht am Ende des Tunnels?

Von der Autorin leicht gekürzter Nachdruck aus *Cahiers du Cinéma* Nr. 429.

NIKLASHAUSER FART, 1970

Mit Hanna Schygulla, Giancarlo Giannini
und Karin Viesel während der
Dreharbeiten zu LILI MARLEEN, 1980

An einem dieser Abende [nach den mittwöchlichen »Etüden« auf der Schauspielschule] wurde mir ganz plötzlich, von einer Sekunde auf die andere, wie von einem Blitz getroffen, glasklar, daß die Schygulla einmal der Star meiner Filme, und daß ich Filme machen würde, bezweifelte ich keinen Augenblick, werden würde, ein wesentlicher Eckpfeiler möglicherweise, vielleicht gar so etwas wie ein Motor.

Rainer Werner Fassbinder, 1981

Hans Günther Pflaum

Ob in Bombay,
ob am Kongo

Unterwegs mit Filmen von Fassbinder

Hans verprügelt seine Frau. Szenenapplaus im Zuschauerraum. Und Gelächter. So hatte sich Rainer Werner Fassbinder die Reaktionen auf HÄNDLER DER VIER JAHRESZEITEN gewiß nicht vorgestellt. Erst recht nicht den nachfolgenden Kommentar: Dieser Hans habe doch alles, was ein Mann braucht. Eine Frau, ein gesundes Kind, eine Freundin (»deuxième bureau«), Freunde, eine Wohnung, ein Auto und einen Job, mit dem er sogar auf legale Weise seine Familie ernähren kann. Und nun behauptet dieser Film aus dem fernen Deutschland, der Obsthändler Hans würde sich wissentlich zu Tode saufen, also im Grunde Selbstmord begehen. Das nehme man weder dem großen Regisseur Fassbinder ab, noch dem vom Goethe-Institut eingeladenen Referenten. Mit einem Wort: man möchte sich nicht für dumm verkaufen lassen.

Da war vor einigen Jahren am GI (Goethe-Institut) Kinshasa. Für seine Person, für seine Lebensumstände hatte der junge Skeptiker völlig recht. Man konnte ihm nur etwas von der vergleichsweise niedrigen Selbstmordrate im Deutschland der wirtschaftlich harten Nachkriegsjahre erzählen und von den gestiegenen Suizid-Zahlen in den Zeiten des Wohlstands und des Reichtums. Das war der Beginn einer wunderbaren Veranstaltung. Fassbinder hätte seine Freude daran gehabt. Sollten die Teilnehmer des Seminars dabei so viel über die Bundesrepublik erfahren haben wie ich über Zaire, dann war das mehr, als man nach diesem unerwarteten Beginn erwarten durfte — auch wenn es mir innerhalb einer Woche nicht gelungen ist, den Leuten schlüssig und nachvollziehbar zu erklären, welch einem Gewerbe ein professioneller Filmkritiker nachgeht.

Flugstunden sind nicht das einzige Maß der Ferne. Zaire ist wirklich ein fernes Land, ferner vielleicht als Indien oder Bolivien. Man kommt an der Frage nicht vorbei, ob es überhaupt sinnvoll sein kann, am Kongo Filme von Fassbinder zu zeigen. Die Antwort ist einfach. Erstens sollte man das Kino nirgendwo auf der Welt der normativen Kraft des faktischen Hollywood kampflos überlassen, und zweitens macht gerade das Beispiel Fassbinders Mut. Vielleicht war kein anderer Regisseur der Filmgeschichte auf die Dauer findiger im Organisieren von Budgets, und selbst klagende europäische Cinéasten könnten davon lernen. Warum nicht auch ein afrikanischer Kollege oder auch »nur« ein potentieller, künftiger Filmmacher. Auch deshalb, weil Fassbinder den Weg zeigt vom verwegenen autodidaktischen Anfänger zum souveränen Regisseur.

Mit Irm Hermann während des
Filmfestivals in Venedig, Sommer 1972

Während der Dreharbeiten zu
IN EINEM JAHR MIT 13 MONDEN, 1978

Wir alle kennen deutsche Selbstdarstellungen, in denen die Bundesrepublik als flächendeckende Parklandschaft erscheint, bevölkert von glückselig tätigen Bürgern. Vielleicht noch nicht am Kongo — aber in Kamerun beginnen sie darüber wohl schon zu lächeln. Diesen Bildern kann und muß Authentisches entgegengesetzt werden. Die Qualität eines Staates, das spürt jedes Publikum auf der Welt, kann nicht im Vortäuschen problemlosen Lebens suggeriert werden, sie besteht, wenn es um Filme geht, nicht zuletzt darin, wie mit den vorhandenen Problemen umgegangen werden kann — und darf. Also noch ein triftiger Grund für Werkschauen mit Arbeiten Fassbinders, wo immer sie stattfinden.

Die Ferne muß den Blick nicht behindern, sie kann ihn auch konstruktiv verändern. Das zeigt mir zum Beispiel ein Student der Filmschule in Ouagadougou, Burkina Faso. Drahman Dema, der in der Savanne aufgewachsen ist, dem darüber hinaus wohl nur die weitgehend flache Baracken-Architektur der Stadt vertraut ist, sieht Bilder mit anderen Augen. Er fragt mich nach der Bedeutung von Treppen in den Filmen Fassbinders, und nach dem möglichen Symbolwert der häufiger Auf- und Abwärtsbewegungen in ICH WILL DOCH NUR, DASS IHR MICH LIEBT. Noch nie vorher, ich gestehe es, war mir das aufgefallen. Aber seither sehe ich mit verändertem Blick, wenn Hanna Schygulla gegen Ende von DIE EHE DER MARIA BRAUN in ihrem Korsett wie eine aufgescheuchte Henne auf der fast diagonal durchs Bild führenden Treppe herumirrt; das ist der akute Anfang vom Ende.

So beginne ich nach einer Woche in Kinshasa zu begreifen, weshalb die Teilnehmer meines Seminars auf die Figur des Bolwieser mit Gelächter reagierten. Ihnen sind andere Formen der Wehrlosigkeit geläufig, die von Bolwieser muß am Kongo exotisch wirken, genauso wie die ohnmächtige Verzweiflung Peters, der in ICH WILL DOCH NUR, DASS IHR MICH LIEBT am Glauben an die Käuflichkeit seiner Träume zugrundegeht. Von den 45 Teilnehmern, die das Seminar regelmäßig und mit Leidenschaft besuchten, war, wenn ich mich richtig erinnere, nur einer einmal in Europa.

Vielleicht war das in Indien nicht viel anders. Aber Europa ist in einem ganz anderen Maß zum indischen Kino gekommen, über die Filmclubs. Mit den indischen Cinéasten, egal ob in Delhi, Calcutta oder anderswo, kann man leichter und sinnvoller über Fassbinders Werk reden als mit einem deutschen Bankdirektor. Anders als mit einem deutschen Bankdirektor. Anders als in Jugoslawien oder Griechenland, anders auch als in Teilen Südamerikas, wo Fassbinders Name magnetischer wirkt als der irgendeines anderen deutschen Filmemachers, verteilt sich in Indien die Aufmerksamkeit sehr gleichmäßig. Auch zu Arbeiten von Herbert Achternbusch kamen Hunderte von Zuschauern und fanden ihren Zugang wohl müheloser als ein großer Teil des deutschen Publikums.

Vermutlich sind die indischen Filmfans die wißbegierigsten von allen. Es scheint, als wäre ihnen die Kinematographie der ganzen Welt geläufig, von Griffith bis Godard. Auf die Verbindungen zwischen Douglas Sirk und Fassbinder braucht man sie im Grunde nicht mehr aufmerksam

Bei den Dreharbeiten zu DIE NIKLASHAUSER FART

zu machen; sie haben bereits davon gelesen. Ein harter Kern will mit mir unbedingt und eingehend über Deutschland im Herbst diskutieren; hinter verschlossenen Türen läuft die Video-Kassette, natürlich in der Originalfassung, ohne Untertitel. In meiner Erinnerung lief die Diskussion ab, als hätte es nie die geringsten Sprach- oder anderen Barrieren gegeben, als hätten alle deutsch verstanden. 1976 habe ich ein Werkstattbuch über Fassbinder geschrieben; rund zehn Jahre später sprach mich in Hyderabad ein junger Inder darauf an, hielt mir das Buch vor die Nase, bat mich, es zu signieren und begann eine gründliche Diskussion über den Inhalt. Ein genauerer Leser ist mir kaum untergekommen. Deutsch hat er sich selbst beigebracht. Er ist so polyglott wie der Ostersegen des Papstes.

»Goethe-Trips« können ihre unangenehmen Seiten haben. Zum Beispiel eine kleine Entführung in Bombay, ein blau geschlagenes Auge in Bergen, ein Kamikaze-Fahrer als Institutsleiter (hier müßten sich mehrere Herren angesprochen fühlen), oder Zank mit dem Zoll von Panama über Filmkopien im Transit, ein Zuckerrohrsaft in Puna: Auf jede böse Erfahrung kommen mindestens drei wunderbare Menschen, der Institutsleiter muß nicht immer dazugehören. Was das mit Fassbinder zu tun hat? Viel. Es hat mit der Welt seiner Filme zu tun. Er mag Zuschauern ferner Länder fremd vorkommen, aber die emotionale Qualität seiner Geschichten und Inszenierungen trifft wohl genauer den Nerv eines Publikums, als es die meisten anderen deutschen Filme tun. Das ist kein künstlerisches Werturteil — aber es erklärt, weshalb die Zuschauer eines Fassbinder-Films oder die Teilnehmer eines Seminars, meiner Erfahrung nach, besonders kommunikativ reagieren. Das ist ein Akt der Betroffenheit.

Ein Mann in Nikosia fällt mir ein. Schwarze Augen, schwarzer langer Vollbart, schwarze lange Haare. So haben sich die linken Studenten Europas 1968 den südamerikanischen Guerillero vorgestellt. Er schaut sich In einem Jahr mit 13 Monden an und sitzt, dachte ich, ziemlich sicher im »falschen« Film. Wortlos verfolgt er die anschließende Diskussion. Wortlos sitzt er später in einer kleinen Runde in der Kneipe. Noch später erklärt er, daß er völlig fertig sei, weil ihn noch nie im Leben ein Film mit seiner Verzweiflung so berührt habe. Beim Institutsleiter erkundige ich mich nach dem Beruf des »Guerilleros«. Der Mann ist Bäckermeister.

In La Paz spricht mich ein junger Indio im Museum an, ob ich am nächsten Tag ein bißchen Zeit hätte. Ich reagiere mit Verzögerung, weil ich den Jungen nicht sofort als Teilnehmer des Seminars identifizieren kann und nicht gleich verstehe, worum es geht. Wir treffen uns im Goethe-Institut. Walter Magne ist nicht aus La Paz. Er muß viele hundert Kilometer mit dem Bus gefahren sein und trägt immer seinen Rucksack und eine Wasserflasche mit sich. Für ein halbwegs komfortables Quartier spricht das nicht. Walter hat die ganze Reise nur unternommen, um Fassbinder-Filme sehen zu können. Während er mir Fragen nach visuellen Strukturen stellt, die man gewissenhaft nur mit lange erarbeite-

Dreharbeiten zu
IN EINEM JAHR MIT 13 MONDEN, 1978

ten Essays beantworten dürfte, blättert er zur Erinnerung in seinem Notizbuch. Er hat während des Seminars, als wir über Video Bild für Bild von EFFI BRIEST zu analysieren versuchten, jede Einstellung mitgezeichnet — und jede dieser Skizzen war in ihrer sensiblen Genauigkeit bewundernswert. Ich bezweifle, ob ich je sonst eine ähnliche Leidenschaft erlebt habe. Doch: bei Fassbinder selbst.

Goethe-Institut Guadalajara. Dasselbe Filmpaket, im Seminar wieder die Kassette von EFFI BRIEST. Zwei vornehme Señoras nehmen daran teil; sie schauen sich auch die anderen Arbeiten Fassbinders an, auch die »wilderen«, und ich warte auf die ersten sichtbaren Anzeichen von Befremden. Ein leichtfertiges Vorurteil. Schon am zweiten Tag bringen die beiden noblen Damen Plätzchen mit, für die Kaffeepause. Eine von ihnen ist, so erfahre ich, mit einem wohlhabenden Arzt verheiratet. Sie sagt lächelnd Ungeheueres: Sie sei so fasziniert von diesem Regisseur und seinen Filmen — dafür würde sie ihre Familie verlassen können. Sie träumt davon, im nächsten Jahr, auf eigene Faust, das Seminar mit anderen Filmen Fassbinders fortzusetzen, in ihrem Landhaus: eine Lady aus der High Society von Guadalajara. Ihren Mann hat sie in DIE DRITTE GENERATION geschleppt. Ich fürchte, er hatte mit dem Film seine Probleme.

Zum Abschied von Mexiko City, am Ende des Seminars, hält ein älterer Herr eine kleine Rede. Das Gute an Flugzeugen sei, sagt er, daß sie auch Kultur transportieren könnten. In diesem Moment dachte ich nicht an meine notorische Flugangst, sondern an Fassbinder. Er hätte dort an meiner Stelle stehen müssen, und in Kinshasa, Bombay oder anderswo. Aber auch auf diese sentimentale Erwägung gibt es eine Anwort, mit der sich reisen läßt. Rainer Werner hätte in diesen Wochen mit einiger Sicherheit einen Film gedreht.

In DEUTSCHLAND IM HERBST, 1977

Volker Schlöndorff

Nett sein bringt nichts

Über RWF zu schreiben, fällt mir nicht leicht, weil er immer eine Herausforderung für mich war — im Sinne von »challenge«. Schon rein körperlich. Ich esse und trinke in Maßen, habe noch nie eine Droge genommen, und bevor ich das auch nur aufschreibe, bin ich heute früh über den Zaun eines Sportplatzes gestiegen, um meine 4000 m zu laufen. Also verschiedener kann man nicht sein.

Im Juni 1969 ging ich mit RWF zur Untersuchung beim Versicherungsarzt. Der bestätigte mir ein Sportlerherz und sagte RWF, so könne er nicht weitermachen. Dabei hatte RWF gerade erst angefangen, war 24, kräftig gebaut und vertrug jedenfalls mehr Bier als ich. Das schwache Herz, das Übergewicht, die zigarettenstrapazierte Lunge, den muskelschwachen Körper hätte einer leicht mit etwas Training in den Griff bekommen können. Ich riet RWF vorsichtig dazu, er aber nahm seine Kondition nur als Bestätigung, daß die Zeit drängte. Er hatte viel vor. Die Zerstörung des Körpers wurde später vielleicht auch ein Ziel, zunächst nahm er sie in Kauf, als den Zoll, den Genies zu zahlen hatten.

Mit Volker Schlöndorff, 1980

99

Er benutzte den Ausdruck zwar nicht, überzeugt war er aber schon damals, daß er auserwählt war. Er trug das nicht aufdringlich vor, im Gegenteil war er bescheiden, einfach selbstsicher, von keinem Zweifel angegriffen. So hatte ich ihn zuerst in den Kammerspielen gesehen mit »Anarchie in Bayern«. Die ganze antiteater-Truppe gefiel mir. Es war ein Ensemble, das anders agierte und anders sprach als sonst auf dem Theater. Es war Film auf der Bühne. Am selben Abend noch nahm er uns mit in ein Kino in der Thierschstraße, wo er nach der letzten Vorstellung seinen ersten Film LIEBE IST KÄLTER ALS DER TOD zeigte. Wieder war die ganze Truppe da, auf der Leinwand und im Saal. Zuerst war es nicht seine Art, Filme zu machen, die mich beeindruckte, sondern es waren diese Leute und was und wie sie sprachen. Immerhin war ich seit fünf Jahren in München und auch sonst herumgekommen, aber solche Menschen kannte ich nicht. Waren es Künstler-Bohemiens, Kleinbürger, Kriminelle, Proletarier? Kamen sie irgendwoher? So viele auf einmal und alle so gierig? Oder hatte er sie erfunden?

Ich ging zu seinen Dreharbeiten, im vierten Stock eines Mietshauses im Lehel. Irm Herrmann stand mit dem Rücken zur Kamera. Sie sollte etwas aus der Kommode nehmen, vor der sie stand, und sich dann langsam umdrehen. Wieder und wieder ließ RWF sie die einfachsten Handgriffe proben: erst die Stickdecke zurückschlagen, die Schublade mit beiden Händen herausziehen, das Ding herausnehmen (war es eine Pistole?), den linken Arm am Körper runterhängen lassen und sich dann zur Kamera umdrehen.

Sie verwirrte sich im Ablauf der Gesten, schluckte Tränen runter, wiederholte, bis sie sich so mechanisch wie eine Puppe bewegte, das Gesicht starr vor Schreck. Unnachgiebig hatte RWF sie in ihr Leiden getrieben, bis er sie so hatte, wie er es wollte. Er strafte mit Verachtung und lohnte durch vorübergehendes Aussetzen der Strafe.

Wir verbrachten in diesem Sommer mehrere Wochen Tag für Tag zusammen; zunächst zwei Wochen Proben, dann drei, vier Wochen beim Drehen an der Isar, auf der Autobahn, an Schuttplätzen und in Kneipen. Er spielte den »Baal«, fast alle Nebenrollen waren aus seiner Truppe besetzt. Ich übernahm auch seinen Kameramann Dietrich Lohmann, sogar manche der anderen Mitarbeiter. Er wollte Profis aus ihnen machen und hatte mich gebeten, sie zu beschäftigen. Sozusagen als bezahlte Praktikanten. Jetzt verstand ich seinen Drill besser, denn die meisten hatten buchstäblich keine Ahnung, weder von Schauspiel noch von Filmtechnik. Sie waren Sekretärinnen, Taxifahrer, Kaufleute, Handwerker oder gar nichts. Er gab ihnen eine Aufgabe, redete sie plötzlich an als Aufnahmeleiter, Requisiteur oder Kameraassistent und zwang sie, dem Titel gerecht zu werden. Was die meisten irgendwann auch schafften — oder sie verschwanden. Gerade ich, der ich zehn Jahre lang das Metier von der Pike auf gelernt hatte, war fassungslos, aber auch fasziniert, denn die Profi-Regeln, die RWF von mir lernen wollte, war ich bereit, abzuwerfen.

BAAL, Regie: Volker Schlöndorff, 1969

Es war, wie gesagt, 1969. Ich wollte raus aus den Strukturen der Film-
wirtschaft, nachdem ich gerade mit einer großen amerikanischen Produktion an MICHAEL KOHLHAAS gescheitert war. Ich drehte BAAL aus
Protest mit einer 16 mm-Handkamera, fast mit Laien, ohne bekannte
Schauspieler — RWF war's ja noch nicht. Er aber war auf dem umgekehrten Weg: sein Ehrgeiz war, einen großen internationalen Verleih zu
finden und seinen nächsten Film in Münchens größtem Kino, dem
»Mathäser«, zu starten. Er beobachtete genau, was ich machte und wie —
von der Kamera und dem Licht bis zum Ton, vom Drehplan bis zur
Tagesdisposition —, er kam zu den Mustern und zwang seine ganze
Truppe, die verschiedenen Rohschnittfassungen anzusehen. Es war ein
bezahlter Workshop, er nahm, was er kriegen konnte. Er übernahm auch
einige »meiner« Schauspieler: Günther Kaufmann vor allem, auch
Marian Seydowski und Margarethe von Trotta, die er bei BAAL ken-
nenlernte.

Nur mit einem war er unglücklich, dem armen Sigi Graue. Das sollte
sein Ekart, sein Liebhaber sein. Er sah auch windig genug aus, nur leider
konnte er überhaupt nicht sprechen, war auch sonst so ungelenk, daß
kein Training half. In den Isarauen sollten sie sich lieben wie Rimbaud
und Verlaine. RWF hatte längst die Geduld mit dem hoffnungslosen
Toren aufgegeben. Es entstand nichts mehr. Ich aber hielt mit Engelsge-
duld an der Fehlbesetzung fest. Das war Schwäche. RWF hat es später oft
ausgesprochen: Nett sein bringt nichts.

Während unserer Dreharbeiten schrieb und probte er KATZELMACHER.
Nachts lernte er die langen Brecht-Texte, und zwar in der Badewanne,
morgens, oft früh um fünf bei Sonnenaufgang, war er am Drehort.
Leicht fiel ihm das auch damals nicht, wie in Trance stand er da, aber er
vergaß keine Zeile, versprach sich nicht. Daß er etwas nicht schaffte,
konnte es nicht geben. Er verweilte auch nie; kam er mal zum Essen, war
er nach dem letzten Bissen schon weg. Nur keine Zeit verlieren. Er hatte
nicht nur viele Geschichten zu erzählen, er mußte auch alle Regisseure,
die vor ihm waren, überrunden und überhaupt die ganze Filmgeschichte
einholen. Deshalb wollte er nie länger an einer Sache arbeiten, es lieber
beim ersten Wurf belassen. Er korrigierte sich von Film zu Film; statt die
Schwächen des einen zu beheben, fing er den nächsten an.

Das war auch aus finanziellen Gründen notwendig, denn diese ersten
Produktionen funktionierten nach dem Schneeballsystem: der Film, der
gerade in Arbeit war, wurde mit dem Geld des nächsten Projekts
bezahlt. Eine Buchhaltung gab es am Anfang nicht. RWF hatte sich bei
uns den minimalen Aufwand einer Firma, die Lohnsteuer abführt, AOK
zahlt, Bücher führt usw. angeschaut und als zu kompliziert verworfen.
Innerhalb des Systems konnte er sein Ziel nicht erreichen. Aus den revo-
lutionären Zeiten leitete er das Recht ab, daß er als Ausnahme darüber
stehe. Auch im Umgang mit Menschen war ihm alles erlaubt, weil er sie
ja aus der Mittelmäßigkeit ihrer sonstigen Existenz erlöste. So empörend
das klingt: mit beidem hatte er recht, und die Mitglieder seiner Truppe
wurden mit Ruhm belohnt. Die Frage ist: Woher nimmt einer dieser

Glauben an sich, den Willen und die Kraft, sich durchzusetzen, den Ehrgeiz, auf jeden Fall und am besten auf der Stelle sich Anerkennung zu verschaffen?

Ich versuchte, mich anstecken zu lassen, meine Zweifel zu überwinden. Mit Günter Rupp hatte ich ein Drehbuch geschrieben, die »Nagasaki-Transaktion«, ein Melodram um Sekretärinnen, die ihre Chefs entmachten, um einen Fleischbeschauer in den Tiefkühlhäusern einer Frankfurter Großschlachterei und um einen homosexuellen Kindermörder. Eine grelle Mischung, die mir nicht lag, aber ich suchte die Veränderung und gab es RWF zu lesen mit der Bemerkung, es sei ein Entwurf, der noch viel Bearbeitung brauche. Ich hoffte, er würde daran mitarbeiten. Er aber wollte es so machen, wie es war — als Darsteller. Dazu traute ich dem eigenen Text nicht genug.

DER PLÖTZLICHE REICHTUM DER ARMEN LEUTE VON KROMBACH flog mir ins Haus. Damit fühlte ich mich wohler. RWF übernahm eine kleine Rolle. Ich rechtfertigte mich für das Aufgeben des Frankfurter Projektes. Ich sei in einer schlechten Phase, sagte er. Dagegen wurde er gerade gefeiert als der kommende Mann, hatte alle Bundesfilmpreise und sogar seinen ersten Publikumserfolg. »Zur Zeit bist Du unten, ich oben. Mach' Dir nichts draus. Das ändert sich schnell«, tröstete er mich.

Dieses Auf und Ab erlebten wir tatsächlich noch öfter in den nächsten Jahren. Wir sahen uns fast nur noch bei Preisverleihungen, bis zehn Jahre später DEUTSCHLAND IM HERBST uns noch mal zusammenbrachte. Zwar war ich es, der mit Margarethe jahrelang Knastbesuche gemacht hatte, Rote Hilfe und Isolierhaftkommitees usw., er aber war es, der sich verfolgt fühlte und sich in dem Film auch so darstellte. Mir kam das im Augenblick ziemlich unpolitisch und egozentrisch vor, später erst habe ich begriffen, daß er nach zehn Jahren Leben am Rande des bürgerlichen Gesetzbuches mehr über Verfolgte und Ausgesetzte im Sinne Genets wußte als ich mit meiner hochanständigen Protesthaltung. Jeder war inzwischen, der eigenen Natur folgend, so entgegengesetzte Wege gegangen, daß wir uns nicht mehr viel zu sagen hatten. Ich besuchte ihn im Atelier bei LILI MARLEEN und ALEXANDERPLATZ. Ich beobachtete die traumwandlerische Sicherheit, mit der er inszenierte und auflöste; wie er ganz ein Profi war, der alle Regeln kannte, und doch völlig frei von Routine. Ich zweifelte immer noch. Gespräche hatte er ohnehin meist mit Margarethe geführt. Jetzt suchte er Alexander Kluges Rat. Mir war's recht so. In brüderlichem Einverständnis tranken wir ein Bier, ich aß etwas, er rauchte. Das war's.

Mit Dirk Bogarde, Klaus Löwitsch und Michael Ballhaus während der Dreharbeiten zu Despair — Eine Reise ins Licht, 1977

Mit Rosel Zech in DIE SEHNSUCHT DER
VERONIKA VOSS, 1981

1982

Rainer Werner Fassbinder

Ende endlos

Über den Sinn des Lebens kann man gar nicht reden, ohne falsche Worte zu gebrauchen. Ungenaue. Aber es gibt keine anderen. Also los! Wenn es etwas gibt, ist es Bewegung. Ja? Und nun ist es so geworden, daß hier irgendwann einmal ein Sonnensystem sich etabliert hat, das sich nicht mehr bewegt, weil es sich geregelt bewegt. Damit es in Bewegung gerät, muß etwas sein, das etwas kaputt macht. Das ist der Grund für die Erfindung des Menschen. Die ist aber ohne Plan geschehen. Wir dürfen überhaupt nicht mehr sagen: Wir sind dazu da, damit … Der Plan der Mächtigen geschieht, wie Du vorhin gesagt hast, nicht von Mächtigen, sondern in unserem Ursachendenken, das immer wieder nur darauf aus ist, Wertsysteme zu errichten, Sinn zu stiften. Alle Geschichte, die Mythologien sind Ergebnisse dieser geplanten Kausalketten. Wenn wir nun die verschiedenen Kuller dieses System zerstören, dann stimmen die geregelten Schwerkräfte nicht mehr, dann bricht alles zusammen. Und plötzlich ist Bewegung und damit etwas. Aber wir stehen herum, Hersteller von Werten. Dazu sind wir da. Wir sind nicht in der Lage, das Gegenteil zu akzeptieren, von dem, was ist. So sind wir nicht einmal in der Nähe von Freiheit. Das ist idiotisch. Wir werden nicht frei, wenn wir nicht die Destruktion so annehmen, wie wir das geregelte Sonnensystem akzeptieren, das unsere Erstarrung ist. Das ist so gekommen, weil das Individuum nicht weiß, daß es beendbar ist. Ich meine kein intellektuelles Wissen, sondern die körperliche Gewißheit in allem, was es tut. Die Möglichkeit, das zu verstehen, wird ihm lange verweigert, die körperliche Erfahrung macht es viel später. Wenn die Gewißheit, sterben zu müssen, möglichst bald körperlich würde für den einzelnen, dann würde er die existentiellen Schmerzen — Haß, Neid, Eifersucht — verlieren. Keine Ängste mehr. Unsere Beziehungen sind ja deshalb grausame Spiele miteinander, weil wir unser Ende nicht als etwas Positives anerkennen. Es ist positiv, weil es wirklich ist. Das Ende ist das konkrete Leben. Der Körper muß den Tod verstehen. In Bremen hatte ich eine

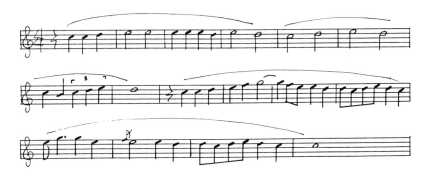

»Kleine Liebe«, Komposition von RWF für Händler der vier Jahreszeiten

gräßliche Nacht, als ich dort inszeniert habe. Ein Todestraum. Es hat mich völlig unvorbereitet getroffen. Danach hatte ich Herzneurosen und bin zu Ärzten gelaufen. Natürlich war ich nicht krank. Es hat mich mit sechsundzwanzig viel zu spät getroffen, diese Erfahrung der Beendbarkeit im Schlaf. Ich konnte sie für meine Beziehungen nicht mehr nutzen. Das ist das Thema für mein neues Stück. Es heißt »Ende endlos«. Destruktion ist aber nicht das Gegenteil von dem, was ist. Destruktion ist, wenn dieser Begriff nicht mehr existiert, keine Bedeutung mehr hat, wenn er eine Wirklichkeit hat, die ihn verschwinden läßt. Was die Leute dann erfinden, das wäre aufregend.

Aus einem Gespräch mit Brigitte Landes und Horst Laube, vollständiger Abdruck in *Theaterbuch 1*, hrsg. von Brigitte Landes u. Horst Laube, München 1978

Wolf Donner

Gruppenbild
mit RWF

Die Szene ist typisch für das militante Klima und die verbiesterten Diskussionen jener Jahre. RWF und die französische Produzentin vom INA-Institut, Hélène Vager, mit roten Köpfen und verbissenen Mienen über ein Papier gebeugt. Eine Protesterklärung. Derek Malcolm sucht zu vermitteln, Ousmane Sembene sitzt etwas abseits und lächelt nachsichtig. Ellen Burstyn und Senta Berger repräsentierten selbstbewußt die Gegenpartei. Andrei Konchalowski, der Kubaner Humberto Solas und der Spanier Basilio M. Patino scheinen sich rauszuhalten.

Eine Festivaljury in einer üblichen Zerreißprobe. Unversöhnliche Gegensätze, ein letzter Schlagabtausch politischer, ästhetischer und moralischer Positionen. Der Festivaldirektor, ein Novize im Amt, dackelt hilflos von einem zum andern und mahnt das Reglement an. Ein neues Team hat die Leitung der Berlinale übernommen, alles ist anders, ungewohnt, alle sind sehr engagiert und sehr politisch. Es geht immer ums Grundsätzliche. Gruppenbild mit RWF, Erinnerungen an die wilden 70er.

Rastlos aktiv, ständig unterwegs, von einer schier unbegreiflichen Produktivität, war Fassbinder in diesem Jahr 1977 keineswegs so breit akzeptiert, wie es später, nach seinem Tod, suggeriert wurde. Da war er plötzlich das deutsche Filmgenie mit lauter guten, verständnisvollen Intimfreunden, die es immer schon gewußt hatten.

Die Realität 1976/77: Wütende Attacken wegen des Theatertextes »Der Müll, die Stadt und der Tod« und des Filmtextes »Schatten der Engel«, Abreise der israelischen Delegation in Cannes 76 aus Protest gegen SCHATTEN DER ENGEL von Fassbinder/Daniel Schmid mit Fassbinder in der Hauptrolle; Ablehnung des Projekts »Die Erde ist unbewohnbar wie der Mond« in der FFA; Ablehnung des Projekts »Soll und Haben« im WDR; im Herbst 76 umstrittene Premieren von SATANSBRATEN, CHINESISCHES ROULETTE und, im Hamburger Schauspielhaus, »Frauen in New York«; Dreharbeiten zu BOLWIESER, 77 dann zu DESPAIR und FRAUEN IN NEW YORK, außerdem eine Rolle in Costards DER KLEINE GODARD; immer wieder Anfeindungen von links und rechts, von Filmkritik und Filmbranche; wiederholt droht Fassbinder in dieser Zeit, sich in die USA abzusetzen.

Die Einladung in unsere erste Jury nahm er sofort an, er hatte die Geste verstanden. Als wir viel zu spät merkten, daß ein Gesellschafter des Filmverlages als Jurymitglied in Berlin deutsche Festivalbeiträge blockieren würde, trat er kurzentschlossen aus; die Politik des Unternehmens mißbillige er schon lange. Dann gab es Sperrfeuer von der jüdischen Gemeinde wegen seiner angeblich antisemitischen Texte und

Mit Senta Berger, Berliner Filmfestspiele
1977

Mit Ellen Burnstyn, Wolf Donner und
dem Regierenden Bürgermeister Dietrich
Stobbe, Berliner Filmfestspiele 1977

Äußerungen. »Einen solchen Mann in eine für das kulturelle Leben der Stadt Berlin bedeutende Position zu berufen, verletzt das Gefühl nicht nur der jüdischen Gemeinschaft. Wenn Fassbinder auch nur ein wenig Empfinden dafür hat, müßte er von sich aus auf die Berufung in ein solches Gremium verzichten.« Tat er aber nicht. Kultursenator Sauberzweig und der Regierende Bürgermeister Stobbe beruhigten Heinz Galinski in persönlichen Gesprächen, weil auch die Berlinale auf dem Juror Fassbinder bestand. Endlich waren alle Probleme ausgeräumt.

Trotz seiner vielen Aktivitäten, die auch während des Festivals nicht aussetzten, sah sich RWF den kompletten Wettbewerb an, darunter Filme von Truffaut, Wicki, Konrad Wolf, Bogdanovich, Robert Benton, . M. Silver, Schilling. Sein Favorit war sofort das schwierige, komplexe und aus heutiger Sicht prophetische Alterswerk DER TEUFEL MÖGLICHERWEISE von Robert Bresson, über das die konservative Berliner Presse schrieb, es gehöre ins Forum.

Eine heftige Nachtsitzung der Jury mit Abreise-Drohungen von Ellen Burstyn führt zu einer knappen Mehrheit für Larissa Schepitkos religiös verschlüsseltes Partisanendrama AUFSTIEG. Goldener Bär für Schepitko, Sonderpreis der Jury für Bresson. Fassbinder besteht auf einer Offenlegung der Diskussion. Bei der Preisverleihung auf der Bühne des Zoopalastes erklärt Hélène Vager, daß vier Juroren, leider überstimmt, Bressons Film für den wichtigeren hielten, politisch und ästhetisch innovativ und so radikal, wie man es von einem herausragenden Kunstwerk fordern müsse.

Mit Dirk Bogarde und Andrea Ferréol,
Cannes 1978

Diesen Anspruch erfüllt Fassbinders Episode im Omnibusfilm DEUTSCHLAND IM HERBST wie keine andere. Der Kommentar von el Regisseuren zur akuten Terrorismus-Hysterie, in einer noch unfertige Fassung präsentiert bei der nächsten Berlinale acht Monate später (di erste im Februar), erregt teils wütende Ablehnung, teils dankbar Zustimmung. Die Kommentare beschreiben die provozierende, extrem subjektive und verstörende Rigorosität von Fassbinders Beitrag al Höhepunkt dieses filmischen Manifestes. Und die internationale Jury (u a. Patricia Highsmith, Frieda Grafe, Larissa Schepitko, Theo Angelo-poulos, Sergio Leone, Konrad Wolf) entschließt sich zu dem ungewöhn-lichen Schritt einer solidarischen lobenden Erwähnung.

```
                                        Rainer Werner Fassbinder
                                        8 München 80
                                        Possartstr.7

    An den
    Filmverlag der Autoren
    8 München 27
    Tengstr.37

    Per Einschreiben                    am 19.6.1978
    z.Hd. Theo Hinz

    Sehr geehrte Herren,

    ich bitte Sie zur Kenntnis zu nehmen,dass ich den für den Film
    " Deutschland im Herbst " oder dessen Konzeption oder was auch
    immer vergebenen Preis der Bundesrepublik Deutschland aus Gründen
    der Moral,die,wie ich sehr wohl weiss,natürlich auch ein Luxusist,
    die Moral,ein Luxus,den man sich leisten können muss,und den ich
    mir trotzdem leiste,dass ich also kurz gesagt die Annahme dieses
    Staatspreises in diesem einen speziellen Fall verweigere.

        Da eine Entscheidung wie diese,bliebe sie so ganz und gar
    ohne Öffentlichkeit,zu etwas wie einem ungedachten Gedanken ver-
    käme,mein Beitrag aber "ungedacht" ein verkommener wäre,muss ich
    freundlich,aber entschieden fordern,dass von dem oder denen,die
    für " Deutschland im Herbst ", übrigens völlig zu recht, einen
    Preis des Staates entgegennehmen,folgender Satz verlesen wird :

        " Rainer Werner Fassbinder lehnt die Annahme eines Bundes-
    filmpreises im Fall des Filmes " Deutschland im Herbst " für sich,
    seinen Beitrag,und seinen Beitrag zur Konzeption dieses Filmes ab."

        Ich bitte Sie höflich,mir schriftlich die Durchführung dieser
    Angelegenheit meinem Wunsche entsprechend zu bestätigen.

                                    Mit freundlichen Grüssen

                                    ( Rainer Werner Fassbinder )


    Kopie mit gleicher Post an Kluge
```

Nachspiel 1979, im Jahr des »Deer Hunter«-Debakels. Drei starke deutsche Filme konkurrieren im Wettbewerb: Herzogs NOSFERATU, Lilienthals DAVID und Fassbinders EHE DER MARIA BRAUN. In der Jury sitzen (nach der Abreise von Vera Chytilova und Pál Gábor) Liliana Cavani, Ingrid Caven, Julie Christie, Georg Alexander, Paul Barthel, Jörn Donner und Romain Gary. Sie geben DAVID den Goldenen Bären, NOSFERATU einen Silbernen Bären für die Ausstattung, Hanna Schygulla den Preis für die beste Darstellerin und, ungewöhnlich, einen weiteren Silbernen Bären an das Team von MARIA BRAUN. So kaschiert man Konflikte bei schwierigen Entscheidungsfindungen. Hanna Schygulla erklärt bei der Preisvergabe, sie alle verstünden die Entscheidung nicht, denn ihm, ihrem Regisseur, hätte dieser Preis zugestanden. RWF ist sauer und bereits abgereist.

Erst drei Jahre später, 1982, bekommt er endlich den Hauptpreis in Berlin für DIE SEHNSUCHT DER VERONIKA VOSS. Aber da ist er schon der allgemein und international anerkannte Regiestar. Zehn Jahre ist das her. Ich hätte seine Filme als Reaktion auf die deutsch-deutschen Vorgänge seit 1989 gern gesehen. Man muß sie sich nur vorstellen, um den Verlust zu begreifen, den sein Tod bedeutet.

RWF an Ingrid C. oder so

… und was wäre dann
wenn diese welt
die oder jene sich
als etwas anderes erweist

von anderer struktur
von einer überhaupt
doch anders jedenfalls
als dein kopf dachte

es denken köpfe nicht'
mag dieser sagen
oder jener glauben,
es lenkt den kopf

»er wird gedacht
und wer und was
auch immer er
wird gedacht und …«

und wird dein kopf
vom falschen was
gelenkt gedacht geleitet -
was wäre dann;

die welt, *dann* deine,
die gäb es nicht
und andere welten
wären real —?

wein keine Tränen oder
schrei nach keinem gott
tu deins — verschenk die schuld
an einen andern

sylvester 1974

Mit Ingrid Caven in SCHATTEN DER ENGEL, Regie: Daniel Schmid, 1975

Jeanne Moreau

Meine Begegnung mit dem unbekannten Tänzer

In meiner cineastischen Vorstellungswelt verkörpert Jeanne Moreau für mich die Frau. Und in dieser Geschichte ist Lysiane die Frau.
Rainer Werner Fassbinder

Es ist seltsam, ich kannte den deutschen Film, Jahre bevor in Frankreich oder den USA über ihn gesprochen wurde, und ich hatte auch Kontakte zu vielen deutschen Filmemachern: Werner Schroeter, Daniel Schmid und, zu einer ganz anderen Richtung gehörend, Wim Wenders, der wiederum eng mit Handke verbunden ist. Sie alle erzählten mir von diesem »enfant terrible«, diesem »Unikum«, als das Fassbinder galt. Ich hörte anerkennende Meinungen und gegenteilige. Ich selbst kannte ihn nur über seine Filme und seinen Ruf.

Ich erfuhr, daß er mich für eine Rolle in QUERELLE DE BREST engagieren wollte. Ich hatte QUERELLE gelesen, doch das lag lange zurück. Ohne nachzudenken, sagte ich spontan zu. Ich hatte Lust, mit ihm zu arbeiten, ihn kennenzulernen, und diese Begegnung . . . diese Mischung, diese Verbindung Fassbinder/Genet . . . Ich habe das Buch dann nochmals gelesen und mich gefragt, was ich mit dieser Geschichte eigentlich zu tun habe. Das ist eine ganz normale Reaktion: was bin ich, was ist diese Lysiane?

Natürlich, wenn man die Geschichte, die von ihr ausgehende Faszination oder den Protagonisten Querelle de Brest betrachtet, verkörpert Lysiane ein konventionelles Bild: sie ist Besitzerin einer Bar, mit ihrem Ehemann. Sie ist die Geliebte von Querelles Bruder, ihr Mann spielt und gewinnt: Querelle wird sein Liebhaber. Diese Doppelung läßt Lysiane nicht mehr los. Denn eine Frau denkt zunächst immer, egal, was sie auch sagen mag, daß sie in dieser homosexuellen Welt keinen Platz hat, denn ihre Weiblichkeit ist nicht mehr das beherrschende Element. Mir ist das Phänomen der doppelgesichtigen Persönlichkeit allerdings sehr vertraut, ich bin mir der männlichen Züge in mir sehr bewußt und sehe auch die weiblichen Züge der Männer.

Ich fühlte mich abgewiesen, obwohl ich in dieses Universum noch nicht einmal eingetreten war, und obwohl ich noch nicht einmal ahnte, was ich in der Rolle der Lysiane sein würde. Normalerweise höre ich in solchen Fällen jedoch auf, mir weitere Fragen zu stellen.

Da ich früher mit Genet eng befreundet war, rief ich Monique Lange, eine gemeinsame Freundin, an. Ich fragte sie, weißt Du, wer Lysiane ist, wie, was, weshalb . . . Wir lasen uns am Telefon ganze Passagen vor . . . und ich merkte, daß mich dies überhaupt nicht weiterbrachte.

Was in diesem Augenblick zählte, war allein Fassbinder, seine Vision der Rolle. Ich würde abwarten müssen.

Es begann mit den Kostümen. Wann immer ich Rainer treffen sollte, konnte er nicht kommen. Ich kannte alle seine Mitarbeiter, nur ihn kannte ich nicht, er blieb für mich der unsichtbare Mann. Dies hatte allmählich etwas Erregendes.

Bei meiner ersten Reise nach Berlin treffe ich Barbara Baum, man zeigt mir Entwürfe und Modelle von Kostümen. Alles hat einen Zug ins Nostalgische, ich bekomme einen Hüfthalter, Unterwäsche, Strapse, und ich denke: »Das kann doch wohl nicht wahr sein, dieser Macho-Stil . . .« Die erste Anprobe . . . Bei dieser Gelegenheit erfahre ich, daß ich auch zwei Lieder zu singen habe, zwei Gedichte von Oscar Wilde aus der Balladensammlung »Geole Reading«, die er nach seiner Entlassung aus dem Gefängnis veröffentlichte. Sie waren wunderbar.

Jeanne Moreau in QUERELLE

So stellte sich also indirekt, über die Kostüme, über die Gedichte, eine Beziehung her, sowohl zu diesem Mann, den ich nicht kannte, als auch zum Universum seines QUERELLE. Ich erfuhr dann auch, daß es keine Außendreharbeiten geben würde, obwohl ursprünglich vorgesehen war, einen Teil in Brest zu drehen. [Der Produzent von QUERELLE, Dieter Schidor, hatte zuvor die Verfilmung neben anderen Regisseuren auch Werner Schroeter angeboten. Dessen Umsetzungsgedanke basierte auf Original-Drehorten. RWF hat diesen Aspekt jedoch für seine Querelle-Version nicht in Betracht gezogen; Anmerkung des Herausgebers.] Alle Kulissen waren in einem Berliner Studio aufgebaut worden.

Ich wurde erneut eingeladen, nach Berlin zu kommen, diesmal zum Filmfestival, da Rainers Film VERONIKA VOSS für den Wettbewerb ausgewählt worden war. Ich frage den Produzenten, ob Rainer kommen würde: er war sich dessen nicht sicher. Ich probiere also meine Kostüme, und am Abend gehe ich zur Filmvorführung. Ich frage nach Rainer: »Er ist noch unterwegs, wir erwarten ihn, wissen aber nicht, ob er kommen wird . . .« Ich betrete den Saal, noch immer weit und breit kein Rainer . . . Nach einer Weile sagt mir der Produzent, der immer wieder die Loge verließ: »Rainer ist da, aber er hat furchtbare Angst . . .« Das war unglaublich, denn auch ich war in Panik geraten . . .

Der Film ging zu Ende; Rainer stand auf der Bühne, umringt von seinen Mitarbeitern, und wurde herzlich empfangen ... im Licht der Scheinwerfer war er sehr schön, er war gut gekleidet ... man hatte mir erzählt, daß er, der nie einen Anzug trug, sich eigens für diesen Anlaß einen gekauft hatte, mit einer sehr auffälligen Taschenuhrkette ... Schließlich wird angekündigt, daß ich anwesend bin ...

Beim Verlassen des Saals stehen wir uns plötzlich in einem engen Gang gegenüber, und natürlich gelingt es uns nicht, auch nur ein Wort zu wechseln. So läßt Rainer mich fragen, ob ich anschließend noch in ein Restaurant mitkomme, ich willige ein ... Und dann verlieren wir uns wieder aus den Augen, ich steige in einen Wagen, Rainer in einen anderen ... Inmitten eines unglaublichen Gewühls sehen wir uns schließlich wieder, die Fotografen versuchen natürlich, mich in seine Richtung zu schubsen. Doch wann immer wir miteinander hätten reden können, drängten sich andere dazwischen, zudem spreche ich nicht allzu gut Deutsch. Irgendwann gehe ich, vom Lärm betäubt und in der Erwartung, ihn am nächsten Tag zu sehen. Doch er war schon wieder abgereist.

Das Thema ist die Identität eines
einzelnen und wie er sind diese
verschafft. Das hängt damit
zusammen, wie Genet sagt, daß
man, um vollständig zu sein, sich
selber noch einmal braucht. Darin
gebe ich Genet vollkommen Recht.
Rainer Werner Fassbinder, 1982

Die Dreharbeiten beginnen ... Ich werde in einem Berliner Hotel
einquartiert, ich probe meine Lieder und frage Peer Raben, ob ...
»Nein«, antwortet er mir, »Rainer ist mit den Dreharbeiten beschäftigt,
er wird nicht kommen.« Da habe ich verstanden. Ich habe verstanden,
daß er Aufgaben delegierte, sobald er zu jemanden Vertrauen hatte, ob es
sich um die Kostüme handelte oder um die Lieder ... Er ließ völlige
Freiheit. So hatte man stets mit Rainers Mitarbeitern zu tun, die genau
wußten, was er wollte und was ihm lieb war.

Sein Tod ist entsetzlich, unglaublich viele Menschen arbeiteten mit
ihm, existierten durch ihn. Er hatte viele außergewöhnliche Mitarbeiter.
Wir haben diesen Film in viereinhalb Wochen gedreht, es waren verrückte Drehtage, 14, 15 Stunden, und in der völlig überreizten Atmosphäre wurden wir von seiner Energie getragen. Es war unfaßbar, wie
eilig er es hatte.

Als wir dann in den Musikstudios den Gesang probten, fragte mich
Peer, ob ich die Kulissen sehen wollte. Da geriet ich plötzlich in Panik
und wollte weder Fassbinder noch die Kulissen vor Drehbeginn sehen.

Ich wurde bestellt und in letzter Minute wieder abbestellt. Ich stand
auf, ich bereitete mich vor. Doch ich wußte noch immer nicht, wer ich
sein würde. Ein Anruf sagte mir, daß ich heute nicht drehen würde, das
ging 2, 3, 4, 8 Tage lang so. Eines Morgens war es dann soweit. Ich frage,
um welche Einstellung es sich handelt: »Nein, nein, das ist nicht im
Drehbuch, das ist eine Szene, die Rainer erst jetzt eingefallen ist. Es han-

delt sich um eine Vision während der Schlägerei zwischen Querelle und
seinem Bruder«. Im Studio zeigt man mir dann meine Umkleidekabine
und ein Kostüm, das ich nie zuvor gesehen hatte. Barbara sagt mir: »Du
bist die Heilige Maria. Du bist zwar geschminkt wie Lysiane, du trägst
Lysianes Schmuck, aber du bist die Jungfrau.« Nun gut. Vor Schüch-
ternheit fast gelähmt, betrete ich als Heilige Maria die aufgebaute Szene,
in der eine eigenartige Atmosphäre herrscht, da die anderen hier vier
Tage lang diese wunderbare Schlägerei gedreht hatten.

Rainer war da, er trug ein weißes Hemd. Man erklärt mir: »Stellen Sie
sich hier hin, kommen Sie hier herunter.« Plötzlich kommt Rainer auf
mich zu, küßt mir die Hand, und gleich darauf wird auch schon gedreht.
Ich war umringt von den Figuren des Films, der eine war Pontius Pila-
tus, der andere Judas . . . wieder ein anderer, der voller Schürfwunden
war, voller Blut und ein Kreuz und eine Dornenkrone trug, verkörperte
Christus . . . Dies alles versetzte mich in Staunen. Es war eine vollkommen magische Atmosphäre. Ich habe zwar nichts verstanden, aber ich
habe deutlich empfunden, was Lysiane war. Und nachdem der Film nun
fertig ist, kann ich auch in Worte fassen, was sie ist: sie ist die Frau, die
Heilige Maria, die Geliebte, die Mutter, das Kind.

Rainer kannte das Drehbuch sehr genau und verfügte über diese Freiheit, die eine sehr genaue Kenntnis voraussetzt. Es war wunderbar zu
sehen, wie er die Kamera plazierte, die Einstellungen regelte, Ausschnitte
wählte und dem Ganzen plötzlich Leben gab, obwohl das Drehbuch
schon voller Leben war. Das war so faszinierend, daß ich mich vom
Drehort nicht mehr wegbewegte. Alles ging sehr schnell. Normalerweise dauert es einige Zeit, wenn die Achse, wenn das Objektiv gewech-
selt wird . . . und der Überraschungseffekt geht verloren. Bei ihm ging
es blitzschnell, alles hatte ein unglaubliches Tempo! . . . Ich habe nie
jemanden erlebt, der so gedreht hat, mit solcher Eile.

Je weiter die Dreharbeiten voranschritten, desto klarer habe ich
gespürt, was Weiblichkeit für Rainer war: etwas Vielschichtiges, eine Art
Quelle, von der man zehrt, und zugleich eine stete Bedrohung. Etwas
mit zwei Gesichtern. Er hat mir übrigens nie die geringste Anweisung
gegeben. Wir haben in einer vollkommenen Osmose miteinander kom-
muniziert. Nie die geringste Anweisung, keine einzige vorgezeichnete
Geste. Er sprach Deutsch, ich verstand, was er sagte, ich traf es haarge-
nau . . . und manchmal lachte er und sagte: »Siehst Du, sie spricht kein
Wort Deutsch und versteht alles«.

Es ist nicht einfach, dieses tiefe Einverständnis zu erklären. Es gab
zwischen uns Momente großer Intimität, obwohl wir erst am letzten
Drehtag uns berührt und wirklich miteinander gesprochen haben. Ich
sah das Kind in ihm, ich empfand eine Zuneigung für ihn, anders kann
ich es nicht erklären. Und obwohl er tot ist, obwohl man ihn nicht anru-
fen, ihn nicht sehen kann, ist er für mich präsent . . .

Als man mir um 7 Uhr morgens erzählte, daß er tot sei, war das ein
unglaublicher Schock für mich, obwohl ich ihn erst seit kurzem kannte.

Diese unmittelbare Verbundenheit war sehr seltsam. Es war eine Art Liebe ... Ich hatte für dieses Phönomen einen Vergleich gefunden, den ich ihm auch anvertraut hatte. Ich sagte ihm, daß er mein unbekannter Tänzer sei — denn es kommt vor, daß man irgendwo hingeht, wo man niemanden kennt, und plötzlich wird man von einem Mann zum Tanzen aufgefordert, man sagt kein Wort, und man tanzt mit ihm in einer vollendeten körperlichen Harmonie, die nicht nur sinnlich, sondern fast metaphysisch ist. Und wenn es zu Ende ist, wird man den Augenblick dieses außergewöhnlichen Tanzes nie vergessen.

Für mich waren die Dreharbeiten zu QUERELLE so etwas. Er wußte, daß ich weiße Rosen liebe und schenkte mir zum Abschied 200 weiße Rosen. In den Blumen steckte ein kleiner Brief, den ich bis heute aufbewahrt habe. Er überreichte sie mir übrigens bei der letzten Einstellung, just als die Arbeit beendet war. Eine seltsame Geschichte.

Aus *Masques* Nr. 15, das Gespräch führten Jean-Marie Combettes und Jean-Pierre Joecker

Mit Xaver Schwarzenberger, Jeanne
Moreau und Brad Davis

Wim Wenders

Mensch,
Rainer,

wann habe ich Dich zum ersten Mal gesehen?

Ich glaube, das war in einer Kneipe in der Türkenstraße, in Schwabing, im »Bungalow«. Im Hinterzimmer standen zwei Flipper. Im Vorderzimmer stand eine Musik-Box. An den Wänden hingen ein paar Filmplakate. Holzbänke, Holzstühle, Holztische mit eingekratzten Inschriften. Das »Bungalow« war ein minimalistischer Ort.

Ich erinnere mich: vor der Jukebox tanzte eine Mädchen, allein. Minirock, die krausen Haare hochgesteckt. Sie hieß Hanna. Und der Typ mit dem Bierglas in der Hand, der da stundenlang rumstand und ihr zuschaute, das warst Du. Ihr wart eine ganze Clique und machtet irgendwie Theater. Die andere Clique waren wir, die »Münchener Sensibilisten«, Studenten an der Filmhochschule, Filmemacher wie Klaus Lemke, Rudolf Thome oder Martin Müller, und ein paar Leute, die in einer winzigen Zeitschrift namens »Filmkritik« schrieben.

Eines Tages hieß es, der Rainer hätte einen Film gedreht, mit der Hanna, mit ganz wenig Geld und in ganz kurzer Zeit. KATZELMACHER. Da haben wir Dich dann ganz anders angeschaut, obwohl Du mit uns Sensibilisten ästhetisch eigentlich nichts am Hut hattest. Aber alle Achtung: Du hattest einen Spielfilm gedreht! Davon konnten die meisten von uns vorerst nur träumen. Aber auch nicht mehr lange, in meinem Fall.

Hanna Schygulla und Hans Hirschmüller in KATZELMACHER, 1969

Dann folgen in meiner Erinnerung eine Reihe von Jahren, in denen wir uns vor allem im Filmverlag der Autoren sahen, in einer mühseligen, aber solidarischen Arbeit am Aufbau einer Produktions- und Verleihfirma, gemeinsam mit 15 anderen Filmemachern. Das war die Kernzelle des »Neuen Deutschen Films«, eine Interessengemeinschaft rein organisatorischer und materieller Art. Anders als etwa die Regisseure der Nouvelle Vague hatten wir kein ästhetisches oder kulturelles Programm, das uns verband, und in all den Jahren, in denen wir uns oft gesehen und miteinander gesprochen haben, wurde nie ein Wort über Filminhalte oder Filmsprache verloren.

Einmal, viel später, sind wir uns tatsächlich in Hollywood begegnet, im Rahmen einer Oscar-Zeremonie. Was wir da beide gemacht haben, weiß ich auch nicht mehr. Jedenfalls standen wir da recht verloren in unseren Smokings in einem Gang und haben dort, in der Ferne, uns zum ersten Mal auch über unsere jeweilige Arbeit ausgefragt.

Und an eine weitere Begegnung erinnere ich mich, spät abends im ARRI-Kino in München. Du wolltest einer Handvoll Freunden und Bekannten einen Film zeigen, den Du gerade fertiggestellt hattest und auf den Du sehr stolz warst. Wir sahen die Arbeitskopie mit der gerade fertig gewordenen Mischung von der EHE DER MARIA BRAUN. Der Film war für Deine Verhältnisse ungewöhnlich sorgfältig gemacht, und man merkte ihm an, daß Du mit ganzem Herzen bis zu Ende dabeigeblieben warst. Ich sage das, weil man manchen Deiner Filme ansieht, daß Du sie nicht bis zu Ende betreut hast, daß Du während des Schnitts oder der Endbearbeitung schon am nächsten gearbeitet hattest. Dieser hier trug Deine Handschrift bis ins letzte Detail. Draußen im Regen, nach dem Film, gab es in der kleinen Gruppe, die da mit Dir zusammenstand und Dir gratulierte, eine Betroffenheit und eine Regung, die uns allen neu war: da war der »Neue Deutsche Film« plötzlich doch einmal, für einen Moment lang, eine verschworene Gemeinschaft, und die Solidarität nicht nur ein Zweck.

Das letzte Mal bin ich Dir begegnet während des Cannes Film Festivals im Mai 1982. Ich hatte eine Reihe von Regisseuren gebeten, in ein Zimmer des Hotels zu kommen, wo wir eine Kamera und eine Nagra aufgebaut hatten, damit sie dort, allein mit den Geräten, etwas über die Zukunft des Kinos sagen sollten. Du saßt in der Bar des Hotels Martinez, am späten Vormittag, bleich, erschreckend erschöpft, hundemüde. Ich habe Dir das Projekt und die Fragestellung beschrieben, dann bist du rauf in das Zimmer gegangen. Was Du dann alleine vor der Kamera gesagt und getan hast, habe ich erst ein paar Tage später gesehen. Und als ich dann, wieder ein paar Monate später, endlich dazu kam, CHAMBRE 666 zu schneiden, da warst Du schon tot.

Ich erinnere mich: Ich war mit dem Nachtzug in München angekommen, auf den sonnenüberfluteten Bahnhofsvorplatz getreten und hatte dann, augenblinzelnd, die Schlagzeilen in den Zeitungsständen gesehen, die allesamt dasselbe verkündeten. Rainer Werner Fassbinder war gestorben. So unbegreiflich es schien, so zwingend kam es mir gleichzeitig vor, als ob es uns allen längst hätte klar sein müssen, daß Du auf dieses Ziel schon lange unterwegs gewesen sein mußtest.

Seit zehn Jahren bist Du jetzt tot, und wir leben alle seitdem mit diesem Verlust, der nicht kleiner werden will, im Gegenteil: wir vermissen auch die Filme, die Du in dieser Zeit gedreht hättest.

So long.

Berlin, den 6.3.92

*Ich frage mich: wo stehe ich in
der Geschichte meines Landes,
warum bin ich Deutscher.*
Rainer Werner Fassbinder,
Le Monde, 17. April 1981

Anläßlich dieser Rainer Werner Fassbinder gewidmeten Werkschau wird deutlich, daß sein gesamtes, erstaunlich umfangreiches Werk von dieser grundlegenden Frage bestimmt ist.

Als Schauspieler, Regisseur, Produzent des großen und kleinen Films hat Rainer Werner Fassbinder stets unter dem Zwang gelebt, Film auf Film folgen zu lassen, gedrängt von der Notwendigkeit, ein kohärentes Werk zu schaffen, das Deutschland in seiner Gesamtheit zeigt — wie er es sah.

Seine pessimistische Kamera nahm mitleidlos die soziale Realität seiner Zeit aufs Korn, mit allen ungelösten Problemen: Rassismus, Egoismus, Tabus, Vorherrschaft des Geldes, Terrorismus.

Deutschland ehrt heute den »Cinéaste maudit« und sein kompromißloses Werk. Jede Gesellschaft braucht hellsichtige, sogar provokative Beobachter. Rainer Werner Fassbinder hat sein Ziel erreicht: Filme zu machen, die mit dem Blick auf die historischen Zsammenhänge die Gegenwart erhellen.

Jack Lang
(französischer Kulturminister)

Mit Josef Vavra und Xaver
Schwarzenberger, 1980

1982

Peter W. Jansen

Ernte 82

I.

Hier hätte es sein können, 250 East, 40th Street, Highpoint, 32. Etage.
Links geht der Blick durch den Schacht bis zum Hudson, rechts öffnet
sich die Blickscharte, etwas näher, zum East River. Geradeaus das Panorama der Platine mit den hochfahrenden Protuberanzen zwischen
Chrysler und Empire State. Schon lange vor Manhattan hatte ich an
Manhattan denken müssen, wenn Bowman an dem Computer herum-
schraubt und die Blocks Stück für Stück aus ihrer Versenkung gleiten
und hervortreiben, bis HAL völlig aus der Fassung gerät. Hänschen
klein. Stahl und Glas unter blankpoliertem Himmel, akurates Blau, glei-
ßende Geometrie und aus den Schluchten das metallische Wolfsgeheul
der Regierungsdienste. Hier, 250 East, 40th Street, im 32. Stock zum Beispiel hätte es passieren können, daß die Wörter ihre Kolonnenfahrt auf-
nehmen durch die Blocks und gegen die Blockade, gegen die gleißneri-
sche Schönheit aus Stahl und Glas und Beton. Hätte der ewig
ungeborene Bruder der verkrüppelten Angela aus dem CHINESISCHEN
ROULETTE sich aus der Paralyse der Platine erlösen müssen. Hätte der
Wille das Programm besiegt, das Amorphe die Morphe der Architektur,
das Organische die Organisation. Als RWF, erzählt man sich, von einem
Passanten in New York gefragt wurde, ob er der Rainer Werner Fassbinder sei, soll er gesagt haben, er sei dessen Doppelgänger.

II.

»Ich schreibe an dem, soweit ich das bislang kann. In dem Moment,
wo ich mich dann zurückziehen werde, um ihn wirklich als Roman fertig
zu machen, ich weiß nicht, wieweit ich das noch hinauszögern kann. Es
gibt eine Geschichte, ja. Es ist die Geschichte von jemandem, der eines
Tages sich nicht mehr bewegen kann und jetzt vor der Alternative steht,
entweder durch eine Art Auto-Analyse rauszukriegen, warum er sich
nicht mehr bewegen kann, oder aufzuhören zu atmen. Und er entschließt sich, das rauszukriegen, warum er sich nicht mehr bewegen
kann. Zum Schluß kann er's dann wieder. Das ist die Geschichte. (...) Ich
hab nicht so eine Liste, wo draufsteht, wann ich wo was mache. Wie es
sich ergibt. In New York wäre es mir am liebsten, klar, weil ich da am
liebsten lebe.« (Paris, 9. Januar 1978)

Mit Xaver Schwarzenberger und Günter
Lamprecht während der Dreharbeiten zu
BERLIN ALEXANDERPLATZ, 1980

III.

»41 Filme und 36 Lebensjahre — soll das wirklich schon alles gewesen sein? Er hatte noch viel vor mit uns und den Bildern, mit unserer Geschichte und mit unseren kalten und heißen Gefühlen. Er konnte sie wie kein anderer in Bewegung setzen. Einer seiner Filme hieß ICH WILL DOCH NUR, DASS IHR MICH LIEBT - aber er löste auch Neid, Haß, Mißverständnis aus. Er hat weitergearbeitet und sich in seiner Arbeit verbraucht. Er sah das Ende immer schon selber kommen, unruhig und von der Angst besessen, nicht fertigzuwerden. Die Arbeit, vor allem das Filmemachen, war für ihn das Leben selbst, und so hat es sich erfüllt. Deshalb muß man an der Trauer arbeiten, die jetzt nach dem Entsetzen kommen will. Denn was hätten wir noch anderes von ihm erwartet, was hätten wir von ihm erwarten können, als daß er sich selbst, daß er sein Leben weiter so maßlos ausgebeutet hätte wie bis zuletzt. Er war es, der im Kino, der Hochburg der Gefühle, wieder über Gefühle zu reden unternommen hatte, vor allem, und das war sein Leit-Thema, über die Ausbeutung derer, die vor Liebe schwach sind und denen die Zärtlichkeit verweigert wird. Bei Fassbinder konnten Männer an mangelnder Zuwendung sterben wie Säuglinge, denen Zärtlichkeit versagt bleibt. LIEBE IST KÄLTER ALS DER TOD hieß sein erster Spielfilm, mit dem er 1969 bei den Berliner Filmfestspielen debütierte. 13 Jahre später, ausgerechnet in diesem Jahr, hatte er es geschafft. Aber da war es ihm schon nicht mehr so wichtig.« (ZDF, Aspekte, 11. Juni 1982)

IV.

Fritz Lang sieht Manhattan im Oktober 1924. Das Panorama wird man im Januar 1927 auf der Leinwand wiedersehen, Studioarchitektur, Prospektmalerei, Schüfftan-Effekt. METROPOLIS ist die Wiedergeburt der Platine als Platine, Festplatte, 100 MB. Das Organische verwandelt sich in Organisation, das Amorphe in die Morphe der Maschine, der Wille ins Programm, der Aufruhr ins Ornament. Eine andere deutsche Möglichkeit. Oder der Unterschied, ob man sich Manhattan von See aus nähert oder vom Highpoint aus überblickt.

V.

»Fassbinders Filme sind nicht ohne die Geschichte dieser Republik zu denken — aber auch diese Republik nicht mehr ohne seine Filme. Er hat dem Land das Psychogramm seiner Gefühle und auch seiner Gefühlskälte gestellt wie kein anderer vor oder neben ihm. Seine Trauer über die Kälte, die ihn aus den öffentlichen Dingen anwehte, konnte ihn maßlos machen in seiner Wut, die aber stets genau blieb. So drehte er DIE DRITTE GENERATION, einen Film, der keinen Unterschied mehr zuließ zwischen dem Terrorismus und dem Staat und der Gesellschaft, die sich seiner bedienten.« (ZDF, Aspekte, 11. Juni 1982)

VI.

»Es gibt den Plan für die nächsten drei Projekte. Es gibt, was mein Privatleben angeht, überhaupt keinen. Da kann sich heute abend schon alles ändern — hoffentlich. Ich meine, wenn nichts passiert, wenn ich heute abend niemanden kennenlerne und morgen und übermorgen auch nicht und was weiß ich, dann wird das weitergehen, wie es jetzt ist. Ich werde mich nicht zwingen, daß es anders wird. Ich würde mich ganausowenig zwingen, daß es so bleibt. Im Gegenteil. Ich bin da — das ist vielleicht ein ganz kleiner Vorteil, den ich habe — ziemlich offen, was das Private anbetrifft. Was das Filmemachen anbetrifft oder das Arbeiten an sich, da bin ich ein ordentlicher Mensch, ja. Es ist schlimm genug, daß man da ordentlich sein muß, weil der Zwang, da ordentlich zu sein, der geht natürlich in andere Bereiche des Fühlens und Denkens irgendwie auch ein. Es entsteht ein Ordentlichsein in allen Bereichen, das man vielleicht nicht möchte — kann sein.« (Paris, 9. Januar 1978)

VII.

Die Betäubung blieb lang, Dumpfigkeit die Monate hin. Das Gefühl beim Aufwachen oder vor dem leeren Blatt oder beim Telefonieren, daß etwas weggebrochen ist. Alles hat sich geändert, und nichts wird weitergehen, wie es jetzt ist. In Venedig streitet sich die Jury um QUERELLE und zeichnet DER STAND DER DINGE aus, der damit zuende geht, daß ein Filmregisseur stirbt, daß er erschossen wird, während er, die Kamera in den Händen, mit allem zurückschießt, was er hat. Als wär's ein Film auf RWF. Später im September auf einem Sofa in der Possartstraße beschwöre ich Lilo Eder, uns die Bilder der letzten Stunden nicht vorzuenthalten, in all ihrer Verfallenheit, mit allen Zeichen der Auflösung des Organismus ins Organische, der Morphe des Körpers ins Amorphe der Geschichte. Im Dezember veranstaltet das Goethe-Institut in Palermo eine Retrospektive. Die Italiener sprechen über einen »Pasolini tedesco« und einer von »il motore del cinema tedesco«. Immer noch die Betäubung, immer noch die Dumpfigkeit. Sie meinen wirklich RWF. Cuore, sage ich endlich, und dann: anima.

VIII.

Konrad Wolf. Warren Oates. Romy Schneider. Gunter Groll. RWF. Curd Jürgens. Henry Fonda. Ulla Jacobsson. Grace Kelly. Jacques Tati. William Holden. Marty Feldman. — Ernte 82.

Während der Dreharbeiten zu Acht
Stunden sind kein Tag, 1972

Während der Dreharbeiten zu
Die Dritte Generation, 1978

Geburtstag-Gedicht von Pea Fröhlich
und Peter Märthesheimer

Wir wünschen dem Rainer
dass er alles behält
was sonst besitzt keiner
ausser ihm auf der Welt:
seinen Mut
seine Wut
seine Angst
seinen Schmerz
seine klugen Gedanken
sein kindliches Herz
seine zärtliche Seele
sein rüdes Benehmen
seine Furcht, sich zu fürchten
seine Furcht, sich zu schämen
seinen Witz, seine List
seine Lust auf das Neue
seinen Argwohn vor Altem
seine Sehnsucht und Treue
seinen Hass, seine Liebe
seinen Trotz, seine Güte
seinen Wahn, seine Kraft
und all seine Hüte!

31.5.80
Pea + Peter

Hilmar Hoffmann

Heftige Begegnungen mit Fassbinder

Eine zufällige Auswahl

Nach den vergeblichen Versuchen von Wiens/Deichsel, das von Krisen gebeutelte TAT wieder zum führenden Experimentiertheater zu machen, wurde nach einer Lösung gesucht, die ungewöhnlich genug war, um nicht nur das deutsche Feuilleton, sondern auch möglichst alle Römerparteien dafür zu gewinnen: Ich präsentierte Rainer Werner Fassbinder als Hoffnungsträger.

Nach zwei knappen Telefonaten signalisierte mir Fassbinder grünes Licht für ein Gespräch über die Zukunft des TAT und über seine eigene. »Wo?« — «Am besten im Zero!« — Auf meine naive Frage, wo das Lokal in München zu finden sei, gab er präzise Auskunft: »Nicht in München, in Berlin. Jeder Taxifahrer kennt die Schwulenkneipe gleich bei Piscator um die Ecke«. Mit gemischten Gefühlen in Tegel gelandet, stellte ich den Taxifahrer auf die Probe: »Zum Zero«. Ohne nachzufragen fuhr er mich zum Ort meiner Hoffnung. Im rauchverhangenen Schummerlicht saß Fassbinder tief im Sessel vergraben mit seinem Team am runden Tisch. Nach einem saloppen Hallo verzichtete er auf einen förmlichen Händedruck, was wegen der Größe des Tisches ohnehin schwierig gewesen wäre. Meine zugegeben blöde Frage, wohin wir denn gehen würden, um zu verhandeln, beantwortete er mit einer ausladenden Geste in Richtung eines noch freien Sessels. Gewohnt, mit den Mächtigen des Theaters mindestens in den »Vierjahreszeiten« oder im »Frankfurter Hof« über das Schicksal von Oper, Theater oder Ballett zu verhandeln, höchstens in Anwesenheit noch eines Agenten, fand ich die kollektive Situation mit einem alternativen Intendanten spannend. Alles, was zu verhandeln war, wurde mit den aus Fassbinders Filmen bekannten Schauspielern mitverhandelt. Weil alle für Mitbestimmung waren, sogar Fassbinder, einigten wir uns auf eine Stars und Chargen gleichmachende Gage in Höhe von 3000 DM. Als in dieser offenen Atmosphäre einer auch Fassbinders Salär als auf solidarischer Basis angesiedelt vorschlug, wurde sein Schweigen als Zustimmung gebongt. Im Nachhinein fand ich diese Art von Vertragsverhandlung jedenfalls im Interesse des Steuerzahlers als ideal.

Im Magistrat wollte zunächst niemand glauben, daß Fassbinder für mindestens drei Jahre samt Truppe nach Frankfurt käme: Mit Margit Carstensen, Irm Hermann, Brigitte Mira, Karlheinz Böhm, Volker Spengler. Noch beeindruckender fand man die extrem niedrige Gage für einen so berühmten Film- und Theatermann. Die Feuilletons jubelten, die TAT-Schauspieler protestierten, ihr Platz mußte für Fassbinders Personal vom früheren antiteater freigemacht werden.

Wie in Frankfurt üblich, wird jeder neue Intendant erst einmal durch den Wolf öffentlicher Inquisition gedreht. Jede Organisation, deren Vorsitzender sich davon eine gute Selbstdarstellung verspricht, organisiert eine öffentliche Anhörung. Fassbinder spielte unter der Bedingung mit, daß ich jedesmal mit von der Partie sei, um »die kulturpolitische Scheiße« abzudecken. Auf unerwünschte Fragen antwortete Fassbinder am liebsten unwirsch bis obszön. Als eine Journalistin versuchte, sich durch ihre Fragerei als Theaterexpertin wichtig zu machen, entfuhr Fassbinder das böse Wort: »Sie verstehen vielleicht etwas vom F. . ., aber nichts vom Theater.« Verblüfftes Schweigen zunächst, dann entlud sich ein Sturm der Entrüstung — gegen den Kulturdezernenten, der es zulasse, das »so jemand« die moralische Anstalt Theater repräsentiere. Ich konterte mit dem Genie-Vorbehalt, Fassbinder dürfe halt extremer formulieren als wir konventionellen Menschen. Das hat irgendwie eingeleuchtet.

Nach der ersten von der Presse noch gnädig abgefeierten Premiere mit der Dramatisierung eines Zola-Stoffes produzierte das Theater dann zunehmend glückloser. Die Mitbestimmung kam ins Schleudern, nicht nur, weil außer Fassbinder auch noch die linke Schauspielerin Heide Simon mitbestimmen wollte. Nachdem sie auf einer Vollversammlung gegen den Chef zu stimmen sich erfrechte, fand sie ihren Namen anderntags auf dem Besetzungszettel für Fassbinders nächsten Film durchgestrichen. Zu Mißerfolgen auf der Bühne kamen Querelen hinter den Kulissen, die von der Lokalpresse genüßlich mit wörtlichen Zitaten ausgeschlachtet wurden, Vokabeln wie »Gosse« oder »Nutte« wurden Aktricen in den Mund gelegt, die allabendlich vom Alltag abgehoben Schiller und Goethe auf jenen Brettern zelebrierten, die so nun aber auch nicht mehr die Welt bedeuteten, wie Abonnenten sie erträumen. Von dieser Art niederer Presseverfolgung hatte selbst der darin nicht gerade verwöhnte Fassbinder bald die Schnauze voll.

Schwerwiegender hat aber wohl ein anderer Faktor Fassbinders Entschluß reifen lassen, schließlich aufzugeben: Das Trauma von der vertraglich geregelten Gleichberechtigung des Verwaltungsleiters. Schon bei der bloßen Erwähnung von dessen Namen überkam Fassbinder Schüttelfrost. Weil aber erst recht in einem vom energetischen Fantasiebündel Fassbinder verantworteten Haus die mindesten Regularien beachtet werden müssen, schon um Rechtsfällen vorzubeugen, holte sich der Verwaltungsmann Rat beim Dezernenten. Völlig neurotisiert, informierte er mich eines Tages, Fassbinder habe nicht nur einen Gnom, sondern auch noch seine geschiedene Frau engagiert, ohne daß deren Gagen im Etat abgedeckt seien. Außerdem würde das überflüssige Personal nicht wirklich gebraucht, der Gnom trete nur einmal auf, Fassbinders Frau spreche nicht mal richtig deutsch! Oh Gott. Darauf angesprochen, nannte Fassbinder mir am Telefon plausible humanitäre Gründe für beide Engagements: Der Zwerg sei ein echter Sozialfall, und Ingrid Caven werde engagiert, weil bei seiner »mickrigen Gage« er nicht auch noch »die Apanage« für sie bezahlen könne. Ich hatte schnell begriffen,

Mit Irm Herrmann und Ingrid Caven am
Frankfurter Theater am Turm, 1975

daß dies für Fassbinder nichts als ein Spiel war; wenn er, wie in diesem Fall, den Poker auch mal verlor, war das für ihn o. k. Die Caven kam, sang und siegte, allerdings nur in einer einzigen Produktion.

Um die laufenden Proben in beschwichtigender Atmosphäre zu besprechen, lud ich Fassbinder zum Wein zu mir nach Hause ein mit der dringlichen Bitte, doch diesmal nicht wieder ein ganzes Ensemble von »Zeugen« mitzubringen, weil das nur auf wechselseitige Statements hinausliefe. Er versprach es. Als er dann die 88 Stufen des Rothschildpalais hinaufstieg, Aufzug war keiner vorhanden, hörte ich ihn Zwiesprache halten — also doch Zeugen. Es kam mit ihm aber »nur« Ingrid Caven, gottseidank, denn sie ergriff in neuralgischen Fragen Partei für mich, was Fassbinder zu amüsieren schien. Ich erinnere mich jedenfalls gern an dieses erste und letzte harmonische Gespräch.

Da auch die schönsten Hoffnungen mal früher, mal später durch die nackte Realität konterkariert werden, ist aus der »Ära Fassbinder« leider keine solche geworden. Sie ging zu Ende, bevor sie richtig begonnen hatte. Fassbinders Verhalten bediente seinen Vorsatz, die Stadt in Zugzwang zu bringen, das Verhältnis einseitig aufzukündigen. Fassbinder wollte partout »abgefunden« werden; bei dieser Kalkulation hatte er allerdings die Rechnung ohne den Wirt gemacht. Als Mitglied der Vergabekommission der FFA (Filmförderungsanstalt) kannte ich Fassbinders Filmpläne, und so konnte ich getrost abwarten, bis er mich um einen mehrwöchigen Urlaub anging, der vertraglich nicht vorgesehen war. Da ich diesmal stur bleiben wollte, bat Fassbinder mich, ihn vorzeitig aus dem Vertrag zu lassen. So endete das Gastspiel Fassbinders plus minus null. Wir trennten uns ohne Groll. Zehn Jahre später hat mir der tote Fassbinder noch einmal Probleme bereitet, mit seinem Theaterstück »Der Müll, die Stadt und der Tod«. Ich mochte das Stück nicht, ich hielt schon Daniel Schmids Verfilmung des Frankfurt-Stoffes unter dem Titel SCHATTEN DER ENGEL (1975) für mißlungen. Gleichwohl habe ich mich geweigert, dem öffentlichen Druck nachzugeben und Intendant Dr. Rühle aufzufordern, das Stück vom Spielplan abzusetzen. Der Antisemitismus-Vorwurf gründete allein auf der Textanalyse und eben nicht auf der Analyse der behutsamen Inszenierung von Hilfsdorf. Der zu Recht als faschistisch inkriminierte Satz »Wir haben vergessen, Dich zu vergasen«, den der Gnom dem reichen Juden ins Gesicht schleudert verkehrt sich in der Aufführung ins genaue Gegenteil: Der stumm ausgestoßene Schrei des reichen Juden gewinnt alle Sympathien des Publikums. In zwei Reden vorm Stadtparlament habe ich die gegen Fassbinders Künstlerpersönlichkeit abgesonderten Verunglimpfungen argumentativ und offensiv zu konterkarieren versucht. Nachdem ich Fassbinder als den bedeutendsten deutschen Filmemacher der Nachkriegszeit gewürdigt hatte (siehe unten), erntete ich lautstarke parlamentarische Häme. Mein Plädoyer war eine Bringschuld für Fassbinder. Schließlich war ich verantwortlich dafür, daß er unter extremen Bedingungen soviel für ihn verlorene Zeit in die Rettung des TAT investiert hatte, vergeudete Energien auch, die seiner Filmarbeit entzogen waren.

Hilmar Hoffmann am 12. September 1985
vor dem Frankfurter Stadtparlament (Auszug):

Fassbinder hat sich in seinen zahlreichen Filmen immer als Moralist
erwiesen — seine Wut und bisweilen seine Bosheit, seine Verletztlichkeit
und seine Verzweiflung haben hier ihre Wurzel. In seinen Filmen sind es
immer die Benachteiligten, die Ausgestoßenen, die an den Rand Ge-
drückten, die verächtlich Gemachten, die Minderheiten, die er zum
Thema macht. ICH WILL DOCH NUR, DASS IHR MICH LIEBT heißt ein Fern-
sehfilm, der Aufschrei eines Verzweifelten in einer kalten Welt — kalt wie
die Welt, die er in »Der Müll, die Stadt und der Tod« auch beschwören
wollte; hier aber offensichtlich mit untauglichen Mitteln. Dieses moralische Engagement und sein Entsetzen über die Welt, in der wir leben,
kennzeichnete jedenfalls seine Filme von Anfang an: das Gastarbeiter-
Drama KATZELMACHER von 1969 ebenso wie ANGST ESSEN SEELE AUF
(1973) bis zu seinen letzten Filmen, wo Fassbinder programmatisch ein-
löst, was ihn beschäftigt: Es sind Filme über deutsche Geschichte. DIE
EHE DER MARIA BRAUN und LOLA führen pervertierte bürgerliche Moral
vor, deren Verkehrsform die Warenwelt ist — Gefühle werden sorglich
abgekapselt.

Rainer Werner Fassbinder ist wohl der einzige unter den Regisseuren
des jungen deutschen Films, auf den immer wieder — schon zu seinen
Lebzeiten — der bei uns doch eigentlich aus der Mode geratene Begriff
des künstlerischen »Genies« angewendet wurde. Das impliziert die
Offenheit und das Durchbrechen von Tabus, dazu gehören auch Sensibilität und Rücksichtslosigkeit, der große Griff und die überschwengliche
Fülle.

Fülle, Überfülle kennzeichnet sein filmisches Gesamtwerk: In gerade
20 Jahren schuf er mehr als 40 Kino- und Fernsehfilme, die dem deutschen Film in aller Welt wieder Ansehen verschafft haben. Dies aus
Anlaß dieser Diskussion auch festzustellen, gebietet der Respekt vor
Fassbinders Gesamtwerk, das unbestritten ein Monument in der Kultur
unserer Zeit bleibt, auch wenn unsere Kritik heute ein Theaterstück
trifft, das er selbst als »Entwurf« wertet.

Peter Welz

Ein paar ungeordnete Gedanken zu Rainer Werner Fassbinder

In einem Jahr mit 13 Monden

Jedes 7. Jahr ist ein Jahr des Mondes.
Besonders Menschen, deren Dasein
hauptsächlich von ihren Gefühlen
bestimmt ist, haben in diesen
Mondjahren verstärkt unter
Depressionen zu leiden.
Was gleichermaßen, nur etwas
weniger ausgeprägt, auch
für Jahre mit 13 Neumonden gilt.
Und wenn ein Mondjahr gleichzeitig
ein Jahr mit 13 Neumonden ist,
kommt es oft zu unabwendbaren
persönlichen Katastrophen.
Im 20. Jahrhundert
sind es sechs Jahre, die von
dieser gefährlichen Konstellation
bestimmt sind, eines davon ist
das Jahr 1978. Davor waren es
die Jahre 1908, 1929, 1943 und 1957.
Nach 1978 wird das Jahr 1992
noch einmal das Dasein vieler gefährden.

»Ich bin der, der ihr sein möchtet. Ich bin einer der wenigen, die ein Lustdasein führen, während die meisten Menschen, wie ihr auch, nur Lustträume haben. Es will keiner nur Magen sein, wenn er Edleres sein dürfte. Aber die meisten Menschen können vor Feigheit nicht edel sein.« (Hans Henny Jahnn, *Die Marmeladenesser,* 1928.)

Anekdoten über »RWF« kann ich keine erzählen. Ich habe auch nicht viele Filme von ihm gesehen. Das hat mit den objektiven Möglichkeiten in dem Land, in dem ich lebe, und damit zu tun, daß ich 1963 geboren wurde und in den 70er Jahren noch nicht soviel Fernsehen gesehen habe wie heute. Ich kann nur beschreiben, was Fassbinder mir aus der Ferne bedeutete.

Mit 19 Jahren drehte ich meinen ersten schwarzweißen 35mm-

Stummfilm, der hieß HERBST. Eine ganz private Geschichte über die Angst vor dem Verlust eines Menschen und über Bruderliebe. Das war die Zeit der Hochrüstung und der Raketenbeschlüsse der NATO, und ich hatte nur eine vage Vorstellung von dem, was 1977 DEUTSCHLAND IM HERBST gewesen war.

Wenn ich mich richtig erinnere, wurde ich zuerst aufmerksam auf Fassbinder, weil er so schöne Filmtitel hatte, besonders einer faszinierte mich: ICH WILL DOCH NUR, DASS IHR MICH LIEBT. Den Film hatte ich nicht gesehen, aber ich glaubte, über den Titel sehr viel vom Regisseur zu erfahren, natürlich auch, weil der Satz mich in einer ganz bestimmten Situation selbst betraf. Von da an versuchte ich alles, was schriftlich zu RWF »bei uns drüben« erreichbar war, in die Finger zu bekommen. Trotz meiner erlernten Skepsis gegenüber allem, was man schwarz auf weiß nach Hause tragen kann, nahm ich ziemlich ernst, was da stand, und sog aus diesen Schriften, später auch aus immer mehr Filmen, Bestätigung und Energie. Obwohl oder gerade weil ich in einer ganz anderen Welt lebte, hatte unsere gesellschaftliche Realität gemeinsam, daß man bestenfalls eine Utopie von dem hatte, was einmal sein sollte.

Natürlich relativieren sich bestimmte Momente der Identifikation und der Übernahme von fremden Erfahrungen, wenn man mehr eigene macht. Damals hatte ich für mich, auch durch Fassbinder und Regisseure wie Godard, Woody Allen u.a. begriffen, was für ein großes Privileg man als (Film-) Künstler besitzt, das, woran man Spaß hat — die Arbeit —, zu seinem Lebensinhalt machen zu können. Im Unterschied zu all denen, die tagein tagaus einer Tätigkeit nachgehen müssen, die mit ihrem Leben nicht viel zu tun hat, die man nach Marx nur als entfremdete Arbeit bezeichnen kann. Dabei muß man ja verrückt werden. Und diese Menschen setzen sich abends vor die Glotze oder gehen vielleicht sogar ins Kino, was schon eine besondere Anstrengung für sie ist, und wollen sich das ansehen, was du für sie bereithältst, ihnen damit auch hilfst, dieses Leben besser zu ertragen oder sich gegen Dinge, die sie verändern können, aufzulehnen.

Ich begriff, daß es zwischen dem Leben und der Liebe und der Arbeit keinen Unterschied für mich geben wird, weil es bei Filmen immer um die menschlichen Verhältnisse, auch die politischen, geht, denen ich mich nicht entziehen kann: wie die Menschen in der Liebe, der Arbeit, in der Gesellschaft miteinander umgehen. Der Filmemacher braucht, glaube ich, keine Botschaft, er muß »nur« seine besondere Sicht auf die Dinge, sein Verhältnis zu sich und zu den anderen und zu den Verhältnissen »rüberbringen«. Das kann ihm gelingen, wenn er zu sich selbst sehr ehrlich ist und das auch zeigt. Wenn ich Filme machen will, die in Menschen etwas bewegen, dann muß ich einerseits dazugehören — zu diesen Leuten — und es andererseits aushalten können, fremd unter ihnen zu sein, denn ich bin ja der, der seine Seele entblößt, den sie brauchen, um sich selbst wieder in Frage stellen zu können. Das hat mit Verantwortung zu tun, mit den Pflichten bei all den Privilegien, die ich als Künstler habe.

Es gibt wohl nichts, was schlimmer wäre als Unaufrichtigkeit und Angst vor dem Risiko. Was für ein Leben im allgemeinen gilt, gilt für die Kunst im besonderen, nur kommt da noch die Eitelkeit hinzu. Nicht die äußerliche, sympathische, sondern die Verlogenheit als besondere Spielart der Feigheit, der Angst.

Als Fassbinder starb, war ich 18 und wahrscheinlich auch ein bißchen froh, ihn nicht mehr kennenlernen zu können, aus der Furcht davor, daß er mir mein Bild von ihm selbst zerstört hätte.

Heute, nach zehn Jahren eigener Lebens- und Arbeitserfahrung, merke ich, daß sich so vieles, was ich mir damals instinktiv von ihm genommen habe, als wichtig und richtig herausgestellt hat.

Heute würde ich gerne mal mit ihm beim Bier in einer Kneipe Nähe Alexanderplatz über die Dinge reden, die ihn mir damals wie heute so vertraut mach(t)en:

Irgendwie ist es doch auch ganz schön, wenn man als böser Bube akzeptiert wird und dazu gehört, oder? Gibt es noch eine Utopie vom »romantischen Anarchismus«? Kann man in dieser »unserer« BRD, deren »Demokratie« jetzt endlich den Sieg über alle Gegner bis zum bitteren Ende auskostet, daß es einen wütend macht, kann man hier überhaupt noch was machen? Mit den Menschen, mit den Filmen? Das »freie« Fernsehen beutet die Gefühle der Leute im Interesse der Ordnung aus und reißt die Macht über die Filmproduktion fast vollends an sich. Glaubst Du, daß einer Deiner frühen Filme von diesem »phantasietötenden Unterdrückungsmittel« heutzutage produziert worden wäre? Du hast die Gunst Deiner Stunde gut genutzt, die Drohung ins Ausland zu gehen, mußtest Du nicht mehr wahrmachen. Ich hätte gern die »Rosa Luxemburg« von *Dir* gesehen.

Wolfram Schütte

Der voraus-
schauende
Traditionalist

Mitte der 60er Jahre, als Brechts Episches Theater die deutschsprachigen Bühnen dominierte, sprach Max Frisch von Brechts »durchschlagender Wirkungslosigkeit eines Klassikers«. Der Dichter der epischen Parabeln eines »Theaters des wissenschaftlichen Zeitalters«, der und das auf gesellschaftliche Veränderung drängte, war gesellschaftlich anerkannt und integriert; und als ein Klassiker: stillgestellt.

Rainer Werner Fassbinder, dem im (gesamt)deutschen Film ein vergleichbarer künstlerischer Rang im Lauf der 14 Jahre von 1969 bis 1982 zuwuchs, in denen er dessen öffentliches Erscheinungsbild dominierte, ist weder zum Klassiker geworden, noch hat er je durchschlagenden Erfolg gehabt. Ist er wirkungslos geblieben?

Wer von der artifiziellen Höhe seines Spätwerks seit DESPAIR (1977) und wer von der paradigmatischen Triftigkeit seiner »deutschen« Sujets von KATZELMACHER (1969) bis zur SEHNSUCHT DER VERONIKA VOSS (1982) auf den beklagenswerten Tiefstand des heutigen deutschen Films blickt, wird kaum anderes konstatieren können — als das Verschwinden RWFs im Verlauf der zehn Jahre, die seit seinem Tod vergangen sind: die Auflösung Fassbinders nicht nur als stetige Präsenz, gewissermaßen als Generalbaß für die Polyphonie des deutschen Films nach ihm, sondern auch der weitgehende Verfall aller jener ästhetischen Universalien, die im fortlaufenden Reichtum seines umfangreichen Œuvres aufblühten.

Er hat eine Lücke hinterlassen, die nur für einen, freilich grandiosen Moment nicht geschlossen, sondern versiegelt wurde: Mit Edgar Reitz' fünfzehneinhalbstündigem (Fernseh-)Film HEIMAT (1984). Es war der Schlußstein für das »Made in Germany« des Jungen und des Neuen deutschen Films, der nach Alexander Kluges Initialversprechen ABSCHIED VON GESTERN (1966) erst wirklich mit HEIMAT bei diesem angelangt war. Edgar Reitz' erinnernde Vergewisserung — Bertoluccis NOVECENTO (1976) im epischen Panoramablick gleichend — erzählte deutsche Geschichte von 1919 bis 1982 in Form einer Chronik, die sich aus der bäuerlichen Welt eines Hunsrück-Dorfs am Rhein herauspann.

Freilich: wäre das monumentale epische Vorhaben von Edgar Reitz ohne Fassbinder je realisiert worden? War er es nicht, der als erster für das Fernsehen eine Serie (ACHT STUNDEN SIND KEIN TAG, 1972) realisierte; hatte er nicht 1975/76 projektiert, Gustav Freytags 1855 erschienenen Kaufmannsroman *Soll und Haben,* eine weitreichend-wirksame Bibel des deutschen Bürgertums (und seines inhärenten Antisemitismus), für das Fernsehen zu drehen? Hatte er nicht, als ihm das Vorhaben abgelehnt worden war und ihn der unsinnige Antisemitismus-Vorwurf stigmatisierte, der seine Adaption von Gerhard Zwerenz' Frankfurt-Roman *Die*

Erde ist unbewohnbar wie der Mond ebenso zu Fall brachte wie sein daraus hervorgegangenes Stück »Der Müll, die Stadt und der Tod« (1976), das noch nach seinem Tod für Skandal sorgte — hatte Fassbinder nicht dann mit seiner 14teiligen Serie BERLIN ALEXANDERPLATZ (1979/80) den Beweis für das Gelingen eines epischen Kammerspiels erbracht?

Mehr noch: Fassbinders Œuvre, wie das aller Regisseure des Neuen deutschen Films, wäre ohne die Zusammenarbeit mit dem öffentlich-rechtlichen Fernsehen nicht zustande gekommen. Er aber hat, wie kein Zweiter, aus diesen spezifisch deutschen Produktionszusammenhängen die Konsequenzen gezogen. Seine künstlerische Produktivität, die zu einem Œuvre von 44 Film- und Fernsehproduktionen führte, fällt zusammen mit der vitalen Aneignung und Findung aller Quellen, aus denen er dafür schöpfen konnte. Er allein hat den Begriff, in dessen Zeichen der Junge und der Neue deutsche Film nach Oberhausen seinen Anspruch begründete, »Opas Kino« für tot zu erklären, bis zum Zerreißen mit Leben erfüllt. Wenn der deutsche »Autorenfilm« einer war — und gewiß sind aus diesem Geniekult des bundesdeutschen Sturm und Drangs der 60er bis 70er Jahre die Œuvres von Kluge und Wenders, Schroeter und von Praunheim, Herzog und Syberberg, Thome und Straub hervorgegangen —, dann stand Fassbinders weitausgreifende Aktivität in dessen Zentrum.

Sein Genie — womöglich das einzige filmische der deutschen Nachkriegszeit — ist nicht nur in seinem Werk selbst zu erkennen, sondern zugleich mit ihm in der krampflösenden Aktivität und der mitreißenden Vitalität, Film und Filmproduktion, Fernsehen und Fernsehproduktion als eine umfassende, kontinuierlich erweiterte, zurück- und vorausschauende Einheit zu verbinden. Seine Utopie, der er ziemlich nahegekommen ist, war es, im Amalgam von gruppendynamischen und individualistischen Arbeitsprozessen die Arbeitsteilung des Studiosystems mit der individuellen Kreativität des Autors zu verschmelzen. Er war Produzenten-Tycoon und Star-Regisseur in einem; und damit er seiner künstlerischen Phantasie, die ihn beflügelte, auf die Sprünge helfen konnte, mußte er für eine Bodenhaftung sorgen, die er erst im Team des Action-Theaters, in der daraus hervorgegangenen Truppe, dann in wechselnden Teams von Schauspielern, Kameraleuten, Musikern, Ausstattern, Studios für sich schuf.

Unverkennbar war der Autorenfilm, der gegen den Niedergang des Produzentenfilms antrat, der sich mit seinen Produkten auf dem einheimischen Markt in der Konkurrenz mit dem Fernsehen nicht mehr behaupten konnte, ein Vorläuferprodukt der anti-autoritären Bewegung und ein Ausdruck der weltweiten Studenten- und Jugendrevolte, die im Pariser Mai 68 sowohl den Sturm auf die Bastille wie kurz danach ihren Thermidor und ihr Waterloo erlebte. Euphorie eines neuen Lebens und Depression seines Scheiterns folgten kurz aufeinander, den modernen Beschleunigungsprozessen entsprechend schneller als an der Wende vom 18. zum 19. Jahrhundert. Die sozialliberale Koalition, der Radikalenerlaß, das deutsche Regie-Theater Peter Steins, Claus Peymanns und Hans

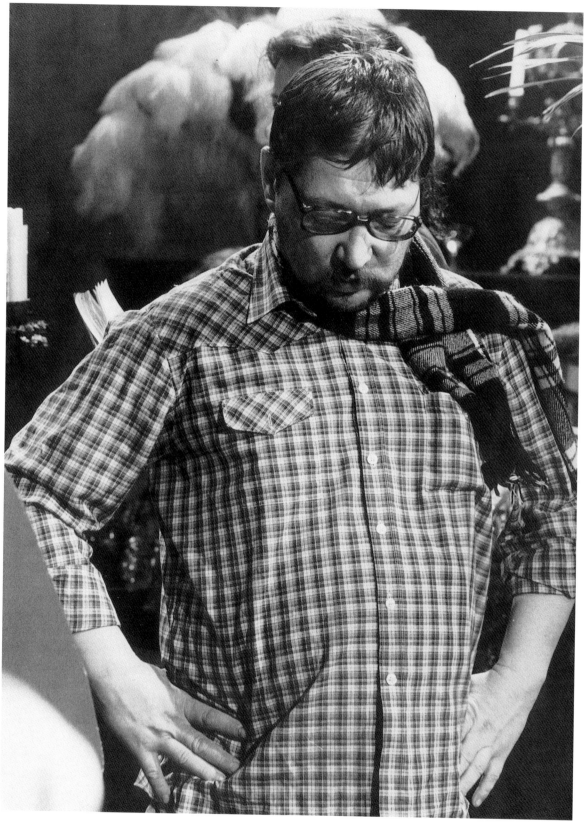

1982

Neuenfels' und der Neue deutsche Film waren Parallel-Ereignisse, durch die die Querschläger des RAF-Terrorismus schossen.

Der 1945 geborene Rainer Werner Fassbinder gehörte nicht zu den Manifestanten von Oberhausen; er hat ihr programmatisches Konzept nicht unterschrieben, wonach die deutsche Nachkriegs-Filmgeschichte weitgehend als Fortsetzung des UFA-Films, als Restaurationsprodukt der Adenauer-Ära verstanden wurde; und er hat auch die von Alexander Kluge avisierte Rückbesinnung auf das Dokumentarische, das Authentisch-Zeitgenössische nicht sich zueigen gemacht.

Fassbinder, der erst spät als der Jüngste zu den westdeutschen Filmemachern kam, war und blieb ein Außenseiter. Seine Wurzeln waren im Theater — und nicht im Dokumentar-, Industrie-, Kunst- oder Fernsehshowfilm. Im Theater als Regisseur, Schauspieler und Autor, als spiritus rector, der eine Truppe um sich sammelte.

Obwohl im Verlauf seiner Filmkarriere die Verbindung zum Theater abriß — spätestens, nachdem er 1974/75 mit der Theaterleitung am Frankfurter TAT, das er zur Basis einer parallelen Filmproduktion ausbauen wollte, Schiffbruch erlitten hatte —, ist es ihm gelungen, woran vergleichbare theatralische Regiebegabungen wie Peter Stein oder Luc Bondy scheiterten: im *Film* den Königsweg zur Entfaltung aller seiner künstlerischen Möglichkeiten zu finden. Das Theater Peter Steins, Luc Bondys und Hans Neuenfels' wirft immer wieder sehnsüchtige Blicke auf den Film, dessen Gesamtkunstwerk-Charakter diese Regisseure auf der Bühne beschwören; nur bei Fassbinder jedoch schlägt das Theater die Augen auf, weil es in seinen Filmen eine tragende Rolle spielt (wie bei Visconti).

Mit einem anderen deutschsprachigen Künstler, dessen mehrfach offenbarte Liebe dem Kino gilt, die er vielfach in das filmische Œuvre seines geistesverwandten Freundes Wim Wenders eingebracht hat, nämlich mit Peter Handke, teilt Rainer Werner Fassbinder jedoch ein Talent, das den Theaterregisseuren Stein, Neuenfels und Bondy nicht zur Verfügung steht: die eigene erzählerische Kreativität.

Eben sie ist es, die Fassbinders einzigartigen Rang, die konzentrierte Dichte seines filmischen Œuvres ausmacht und es — trotz handwerklicher Äquivalenzen — z. B. von den Arbeiten Volker Schlöndorffs oder Reinhard Hauffs fundamental unterscheidet. Unterscheidet auch insofern, als dieser Selbst-Erzähler unter den Erzählern des Neuen deutschen Films mit dem eigenen Stoff und Sujet ästhetisch viel intimer, selbstreferentieller umgehen kann — weil er, um Kleist zu paraphrasieren, »bei der allmählichen Verfertigung des Gedankens beim Reden« eben die »filmische Realisation« seinen Erzählungen vorweg einschreibt, kurz: weil er Erzählen im Kino nicht als literarische Adaption an das visuell-akustische Medium *bedenken,* sondern primär »filmisch« *denken* kann.

Diese genuin filmische Kreativität, die das »straightaway« Raoul Walshs und Michael Curtiz' ebenso souverän versteht wie die Lichtregie Joseph von Sternbergs, die Farbdramaturgie Douglas Sirks und Joseph L. Mankiewiczs komplexe erzählerische Strategien (als kreativen Reflex

z. B. der Döblinschen Montage-Technik in BERLIN ALEXANDERPLATZ): eben das ermöglicht Fassbinder Adaptionen literarischer Vorlagen (wie *Effi Briest, Bolwieser, Querelle),* an denen — auf je eigene Weise — keine Schlacken des Adaptionsprozesses störend-irritierend zurückbleiben.

Das Theater, dem er entwuchs und entkam, hat jedoch Qualitäten des Filmregisseurs geprägt, die erzählerische Stringenz und visuelle Dichte seines Werkes bestimmt. Die Bühne als Schau-Platz, als vorgestellte Abstraktion des gelebten Lebens kehrt selbst in seinen scheinbar naturalistischen Filmen — wie ANGST ESSEN SEELE AUF, HÄNDLER DER VIER JAHRESZEITEN, ANGST VOR DER ANGST oder ICH WILL DOCH NUR, DASS IHR MICH LIEBT - durch einen a-naturalistischen Sprachgestus wieder. Er signalisiert Distanz, Irritation des Realistischen, das — mehr als eine Bühnendekoration es vermöchte — durch eine perspektivische Metaphorik des Kamerablicks mit erzählerischem Mehrwert aufgeladen wird. Nur deshalb erfährt man in Fassbinders »realistischen« Filmen mehr als man in ihnen sieht und hört; und das unterscheidet sie von den zahllosen »realistischen« Filmen aus der Arbeitswelt, mit denen ein Teil des Neuen deutschen Films sich dem Lebensalltag des proletarischen Kleinbürgertums agitatorisch-funktional zuwandte.

Das Theater als Vorschule des filmischen Dialogs, der in der visuellen Montage an Bestimmtheit verlieren und an beiläufiger Redundanz gewinnen muß — das hat Fassbinder gelernt und gelehrt; das Theater als Präsenz der Schauspieler-Personen, als Körperlichkeit im Raum — das hat Fassbinder für den Neuen deutschen Film entdeckt — und wie kein zweiter virtuos und unnachahmlich entwickelt.

Ein Teil seiner unbestreitbaren Genialität ist in jenen unzähligen Momenten zu erblicken, in denen er Schauspieler zu einer Rolle verführte, mit der sie zur menschlichen Würde einer unvergeßlichen Person aufwuchsen — ob in kleinen Nebenrollen oder als zentrale Stars. Dabei spielte es keine Rolle, ob die Schauspieler unbeschriebene oder bereits zugeschriebene »Blätter« waren — ob sie Kurt Raab, Hanna Schygulla, Gottfried John oder Günter Lamprecht hießen. Dieser Pygmalion erweckte sie alle zum Leben — freilich oft nur für jene Augenblicke, in denen seine Augen Blicke auf sie warfen und sie zu Epiphanien seiner persönlichen, seiner Personen-Obsessionen inspirierten. Kamera, Licht, Farbe, Dekor und Schnitt haben sie nicht »gemacht«; sie haben nur die »Aura« geschaffen, in der sie kraft eigener Präsenz im Film erschienen.

Der Bruch, mit dem sich das Œuvre Fassbinders innerhalb des Neuen deutschen (und das heißt west-deutschen) Films isolierte, wurde paradoxerweise von seinem entschiedenen Traditionalismus hervorgerufen. Aus ihm fließt jedoch sein ästhetischer Reichtum. Während seine älteren Zeit- und Oberhausener Kampf-Genossen mit ihrem Abschied von gestern eines radikalen Bruch mit der UFA und ihrer restaurativen Fortsetzung im Heimatschnulzen- und Problemfilm der Nachkriegsära meinten, fand sich Fassbinder damit nicht ab. Weder meinten die Oberhausener, an eine deutsche Tradition anknüpfen zu können, die durch ihre ästhetische und politische Kollaboration mit dem Faschismus sich desavouiert hatte, noch träumte damals einer unter ihnen von einer Imitation Hollywoods. Zwar bekannten sich später Wenders zu Lang, Ozu, Ford und Nicholas Ray, Herzog zu Murnau und dem deutschen Filmexpressionismus, Kluge zu Vertov, Eisenstein und Godard, Thome zu Hawks und Straub zu Bresson und Dreyer; aber in der »vaterlosen Gesellschaft«, die der Psychoanalytiker Alexander Mitscherlich als Gegenwartsanalyse Westdeutschlands beschrieben hatte, gerierte man sich als Künstler am Nullpunkt. Eine späte Entsprechung der »Kahlschlagliteratur« nach 1945?

Inmitten dieser deutschen Selbst-Entfremdung der Vater- und Vaterlandslosen offenbarte Fassbinder eine skandalöse Wunsch-Vater-Beziehung, die freilich von uns Zeitgenossen weder ganz ernst noch wirklich wahrgenommen wurde. Denn sein vornehmster Heiliger im Kalender war nicht (wie für Marx) Prometheus, sondern ein Däne, der unter dem Namen Detlef bis 1937 für die UFA SCHLUSSAKKORD, ZU NEUEN UFERN und LA HABENERA und als Douglas Sirk in Hollywood unter anderem IMITATION OF LIFE, ALL THAT HEAVEN ALLOWS oder WRITTEN IN THE WIND gedreht hatte — Filme, die der junge, fanatische Kinogänger in der Pubertät entdeckte und deren gefühlvolle Palette des Leidens, der Unterdrückung und Verzweiflung er mit der Treue anhing, eben diesem Kino der Menschen und ihrer verwirrten Gefühle nachzueifern.

Fassbinders Faszination von Sirk war zugleich eine für das Melodrama, eines der »verruchtesten« Genres der falschen Gefühle, des Seelenkitsches, des unaufgeklärten Bewußtseins, das zu den infamsten Verführungen der Hollywooder Traumfabrik gehörte. Zumindest in den Augen der Oberhausener und weiter Teile der mit ihnen konformen Filmkritik.

Debütierte Fassbinder noch mit der zynischen Kälte vereister Melodramen, die als Gangsterfilm, »Bande-à-part«-Filme aus Münchner Vorstädten bizarr wirkten (LIEBE IST KÄLTER ALS DER TOD, GÖTTER DER PEST, RIO DAS MORTES, DER AMERIKANISCHE SOLDAT), so kündigte sich schon der Kammerspiel-Melodramatiker mit WARUM LÄUFT HERR R. AMOK? und dem Pseudo-Western WHITY an, der mit den PIONIEREN IN INGOLSTADT, dem HÄNDLER DER VIER JAHRESZEITEN zu einem unverhofften und einzigartig gebliebenen *sozialen* Melodrama fand, in dem Menschen wiederkehrten, die nicht vorweg und einzig als Demonstrationsobjekte ins Fadenkreuz der Sozialanalyse gerieten. Gerade indem Fassbinder seine Melodramen (bis hin zu BERLIN ALEXANDERPLATZ) in kleinbürgerlich-proletarischen Ambientes situierte — und damit dem westdeutschen Film einen sozialen Raum hinzugewann, der nach ihm wieder verloren wurde —, verließ er den autobiografischen Umkreis, die subjektiven Obsessionen, aus denen der Autorenfilm hervorgegangen war und in dem er, immer tiefer im Narzißmus einer Künstler- und Beziehungskisten-Bohème versinkend, danach zur larmoyanten Selbstbespiegelung der Filmemacher verkam.

»Über nichts als über Menschen weiß ich Bescheid«, hat Fassbinder erklärt: aber das wußte und ahnte er wie kein zweiter. Das »Kraftwerk der Gefühle«, das Alexander Kluge in der Oper am Werk sah und dessen gefährliche, katastrophenhafte Drohung er durch aufklärerischen Eingriff zu »entsorgen« suchte, wurde von Fassbinder, dessen Lieblingsoper »La Traviata« war, als Relaisstation menschlicher Empfindungs- und Leidensfähigkeit betrachtet: als Schlachtfeld eines Krieges, der in Räumen und Zimmern, in Blickwechseln und kaserniert in Quadrierungen, in Spiegeln gebrochen und reflektiert, in Farb- und Lichtspielen getaucht und von ihnen illuminiert, täglich und stündlich zwischen den Menschen stattfand; und in ihnen. Die Dialektik von »falschen« und »richtigen« Gefühlen, ihre Zeitverschiebungen und Verbiegungen, die Komplexität und Komplizität von Liebenden und Geliebten, sprich: Opfern und Tätern, die Offenlegung von Wundmalen der Seele und ihre Verletzungen, die Permanenz von Gewalt in Liebesverhältnissen — *das* war seine erzählerische Domäne, die er einer Zeitungsmeldung ebenso ablas wie Fontanes *Effi Briest* oder Genets *Querelle*.

Hanna Schygulla und Günther Kaufmann
in PIONIERE IN INGOLSTADT, 1970

Er zielte auf eine »Comèdie humaine« — vornehmlich unter deutschen Verhältnissen —, historischen und brand-aktuellen. Wenn er von »Hollywood« sprach, so dachte er an Stoffe und Sujets, die sowohl persönlich gestaltet als auch kollektiv vermittelbar waren, indem sie sich auf die kollektiven Traumata, populären Mythen des Alltags, auf das »falsche Leben« (Adorno) und was es an Erfahrungs- und Artikulations-»Kitsch« mit sich schleppte, entschieden einließen. Freilich nicht in Form einer naturalistischen Imitation, aber auch nicht im demonstrativen Gestus des Godardschen Zitats. Die Rekonstruktion historischer Momente — ob des 19. Jahrhundert in EFFI BRIEST, ob die Nazi-UFA in LILI MARLEEN, die Nachkriegszeit in DIE EHE DER MARIA BRAUN oder das Wirtschaftswunderdeutschland in LOLA — reflektierte zugleich die zeitgenössischen Codes und Standards des Visuellen und Akustischen: Photographie, Kino, Radio, Mode.

Historische Erinnerungen, gesehen durch den Paravent der massenmedialen Entwicklung, das Kino als Projektionsfläche von jeweils zeittypischen Erfahrensweisen: dieses mehr als nur ästhetische Programm wird an Fassbinders Œuvre als bestimmendes Grundthema erkennbar. Zu dieser Traditionsaufarbeitung, zu dieser Re-Inventarisierung des Mediums gehörte es auch und gerade, das schauspielerische Potential des deutschen Films seit den UFA-Zeiten nicht, wie das der Neue deutsche Film generell tat, durch »Ausklammerung« zu stigmatisieren, sondern eben jene Schauspielerinnen und Schauspieler, die besser waren als die Filme, in denen sie zuvor und zuletzt aufgetreten waren, dem eigenen Œuvre einzupassen, eine unerkannte, abgebrochene Traditionslinie hervorzukehren und wiederaufzunehmen.

Man könnte fast von einer Versöhnung von Jungen und Alten sprechen, zu welcher die tragenden Auftritte, das Mitspiel unter anderem von Luise Ullrich oder Werner Finck, von Brigitte Mira und Karlheinz Böhm, von Barbara Valentin und Adrian Hoven in Fassbinders Arbeiten geführt hat. Diese ideologische Unvoreingenommenheit entsprach nicht nur seinem vitalen menschlichen Interesse an professionellen Schauspielern, die er in seinen die Generationen durchmessenden Filmen einfach auch brauchte; den Filmen wuchs dadurch auch ein öffentliches Interesse zu, das über den engen Kreis der generationsspezifischen Sympathie für den Neuen deutschen Film im Kino auch ältere Generationen wieder ansprach.

Fassbinders Lebensbedürfnis, »etwas tun zu müssen, um sich existent zu fühlen«, hätte sich nicht realisieren lassen, wenn ihm nicht zugleich die strategische Eigenschaft beigegeben gewesen wäre, diese Balzacsche Kreativitätsenergie im arbeitsteiligen Produktionsprozeß der Film- und Fernsehherstellung zu organisieren. Das heißt, die Kontinuität seines filmerzählerischen Werkes verlangte im Grunde nach einem filmindustriellen Rahmen, den es nach dem Zusammenschrumpfen der westdeutschen Filmindustrie nicht mehr gab. Insofern war der Autorenfilm nicht nur das Geniekult-Postulat einer Generation, die mit der Vergangenheit der westdeutschen Filmproduktionsweise nichts mehr zu tun haben

Mit Brigitte Mira während der
Bundesfilmpreisverleihung für
Angst essen Seele auf, 1974

wollte (und lieber auf die Straße als in die Studios ging), sondern auch das Produkt eines erzwungenen Mangels.

Das Fernsehen als Ersatzproduzent, der nicht das Geschäftskalkül des Filmproduzenten in Rechnung ziehen mußte, entband den Neuen deutschen Film von den Zwängen des Marktes; die ihm zuarbeitende bundesdeutsche Filmförderung errichtete eine zusätzlich kulturell (also nicht marktkonform) definierte Schutzzone, in der das Phänomen des »Neuen deutschen Films«, der international bestaunt und bewundert wurde, florieren konnte.

Dieses Produktions-Förderungsmodell hat zwar einerseits die schillernde Vielfalt der deutschen Filmtalente ermöglicht, zugleich aber langfristig zu einer Scheinblüte geführt. Im Zuge einer schleichenden und dann immer erkennbarer hervortretenden Konkurrenz-Kommerzialisierung des öffentlich-rechtlichen Fernsehens mit dem privaten und im Verlauf einer Regionalisierung der kulturellen Filmförderung — aufgrund des föderativen Charakters der Bundesrepublik, die keine zentrale kulturelle Instanz besitzt — wurde das zu Fassbinders Zeiten noch produktive Förderungssystem weitgehend kontraproduktiv. Eine Fülle von bürokratischen Akten führte zu kollektiven und individuellen Produktionsverzögerungen, so daß eine kontinuierliche Arbeit nicht mehr möglich ist.

Damit zerstreute sich aber auch das, was man den infrastrukturellen Mehrwert nennen könnte, den Fassbinders kontinuierliche Produktionsweise für das Filmemachen in Deutschland abgeworfen hatte: nämlich eine Professionalisierung in allen Bereichen der Film- und Fernsehproduktion. Aufgrund seiner Team-bildenden Produktionsweise hat er dem deutschen Kino nicht nur Schauspieler entdeckt und sie in die Nähe des Starruhms gebracht — zum Beispiel Hanna Schygulla und Barbara Sukowa, Günter Lamprecht und Klaus Löwitsch —, sondern auch Kameraleuten wie Michael Ballhaus und Xaver Schwarzenberger, Cutterinnen wie Juliane Lorenz, Kostümbildnerinnen wie Barbara Baum, Musikern wie Peer Raben usw. zur Entfaltung ihrer Talente verholfen.

Man kann in dieser in alle Bereiche ausgreifenden Aktivität Fassbinders, der in Fragen originaler Drehorte (Außenaufnahmen) oder Studio nicht ideologisch, sondern praktisch entschied, den Versuch erblicken, im Alleingang eine filmindustrielle Produktionsweise zu entwickeln, deren Nebeneffekt darin bestanden hätte, daß sich auch alle anderen der dadurch zustande gekommenen Professionalisierungsgewinne hätten bedienen können.

Aber weil der Neue deutsche Film, seine Autoren und Autorinnen, seine Produzenten und die Kritik weder willens noch womöglich substantiell in der Lage waren, in Rainer Werner Fassbinders programmatischem Traditionalismus, der aufs Ganze ging, die richtungsweisende Tendenz für eine national-industrielle Filmproduktion zu erkennen, blieb sein Alleingang schließlich weitgehend folgenlos.

Zu lange haben wir die Schutzzone der vollständig öffentlich subventionierten Filmförderung als Brutkasten von der Wiege bis zum Exitus

Mit Maximilian Johannsmann und Juliane
Lorenz während der Dreharbeiten zu
Die dritte Generation, 1978

Mit Gottfried John, Brigitte Mira und
Michael Ballhaus während der
Dreharbeiten zu Mutter Küsters Fahrt
zum Himmel, 1975

mißverstanden; der provinzielle Egoismus, der mit der Expansion der Länderförderung primär ein Heer von halb- und ganzbürokratischen Zwischenträgern, Beauftragten und Verwaltern in die Welt brachte und zu einer gigantischen Gremienwirtschaft fast realsozialistischen Ausmaßes führte, hat Produktion und Kreativität zu Abenteuerexpeditionen in einen Paragraphendschungel verdammt. Die ständig prolongierte und unübersichtlicher gewordene Schutzzone überwucherte den Ausgang aus dieser »selbstverschuldeten Unmündigkeit«: den Ausgang zur Reibefläche öffentlicher Konkurrenz, die Fassbinder immer gesucht und gefunden hatte.

Nur an dieser Reibefläche, der Öffentlichkeit des Kinos, hätten sich in einem Erfahrungsprozeß Robustheit, Widerstandskraft, Einläßlichkeit entwickeln lassen, wobei stofflich und ästhetisch sich nationale und individuelle Eigenschaften erst in dieser Situation der Konkurrenz herausbilden könnten. Entgegen Alexander Kluges programmatischer Losung: In Gefahr und Not bringt der Mittelweg den Tod zielte Fassbinders einsamer Weg zu den Produktionsmitteln ins Zentrum einer möglichen Zukunft. Der »Mittelweg«, nämlich das »unreine Kino«, das kontinuierlich sich quer durch die Gegebenheiten des Genres und der Produktions- und Rezeptionsweisen frißt, mäandert, vagabundiert und das sich im Laufe seines Zick-Zack-«Marsches durch die Institutionen« professionalisiert, trick- und erfindungsreich, kennerisch und phantasievoll wird — nur dieses Fassbinderische »unreine«, ja skrupellos jede seiner Produktionschancen ergreifende Kino wäre auf dem Weg zu einer Zukunft; und seine Solidität, die teuer erkauft sein würde, erlaubte erst wirklich die Solidarität mit jenen, deren solitäre künstlerische Sensibilität den Schutz aller braucht.

Heinrich von Kleist hat unter dem niederschmetternden Eindruck der Kantschen Erkenntniskritik über die verlorene Unschuld der Kunst in seinem Essay »Über das Marionettentheater« nachgedacht. Die »Grazie« des unbewußten schöpferischen Aktes, die durch die Reflexion zerstört scheint, stelle sich erst wieder ein, »wenn Erkenntnis durch ein Unendliches gegangen ist«. Eine solche unendliche Reflexion der Praxis jedoch, die der deutsche Film erst noch vor sich hat — und zwar »in Gefahr und größter Not«, die auch sein Ende zu besiegeln vermöchte —, könnten die derzeitige Folgenlosigkeit, die das Beispiel Fassbinder hinterlassen hat, zu einem Reichtum an Folgen wenden.

Denn das Genie Fassbinders war nicht nur sein künstlerisches Œuvre, sondern gleichermaßen: der Weg zu ihm. Der aber steht auch jenen offen, die Genies wie er nicht sind, aber Künstler werden könnten. Freilich müssen sie auf Teufel komm raus, wie er, die Probe aufs Exempel machen. Das ist nicht eine Frage von Mut und Kühnheit, sondern auch von Würde. Wer nur die Phantasie besitzt, sich dabei scheitern zu sehen, hat zu wenig Phantasie, sich ins Gelingen zu verlieben: und wäre es selbst vergeblich.

Mit Juliane Lorenz, 1979

Mit Mario Adorf während der
Dreharbeiten zu LOLA, 1981

Herbert Achternbusch

Eine Rose für Rainer Werner Fassbinder

Ich habe ihn nur dreimal gesehen, zuletzt auf dem Viktualienmarkt, in den er in schneller Fahrt hineinging, als müßte er gesehen und gleichzeitig vergessen werden. Er trug eine Jeans und ein kurzes Hemdchen, natürlich rauchte er. Ich drehte mich nach ihm um. Ich kam mir vor wie ein Opa, der seinen Alltagsgeschäftchen nachdattert. Ich hätte gern mit ihm ein Bier getrunken, aber es schien mir nicht angebracht. Er kam mir vor wie einer, den man nicht aufhalten darf.

Vorher sah ich ihn in Seefeld, Schloß Töring. Nacht, Licht, lange Fahrt. Lili Marleen läuft heraus, 2 Klappen, aus. Ich war unter den Gaffern und hörte sie reden, unaussprechlichen Unsinn, der anwesende Nazi-Habitus wurde bekrittelt. Fassbinder wurde empfohlen, im Krieg gewesen zu sein, statt solchen ungeschichtlichen Firlefanz herzustellen. Im Kino erstaunte ich, wie wenig von dem großen Aufwand zu sehen war. Der Film gefiel mir nicht, nur Fassbinders Auftritt. Von den großen Hakenkreuzfahnen wurden nur die alten gestohlen. Aber seit Tagen sehe ich ihn laufen, in seinem weißen Anzug mit den langen Hosen, Tempo, Tempo, wenn der einen Schritt zurückmacht, dachte ich mir, dann tritt er auf seine überhängende Hose und fliegt sauber hin.

In den Wirtshäusern habe ich Fassbinder oft verteidigt, nicht »seinen Schmarrn«, denn das konnte man den geistig vertrottelten Sklaven nicht verständlich machen, aber die Kraft, die diesen Mann vorwärts bewegte, sein Leistungsdrang und seine Lustgewinnsucht beeindruckten. Und dann kannten sie ja mich, was ich für ein Depp bin, weil ich bei ihnen sitze und sie mich direkt verspotten können, ganz selten auch schätzen, während diesem Fassbinder keiner das Wasser reichen konnte. Ob er nicht verdurstet ist?

Was ihn politisch entsetzte, das war zu viel. Was politisch an Scheiße passiert, ist zu viel, läßt einen mit den sensiblen künstlerischen Mitteln, die ja die Empfindlichkeit von Zungen, Augen oder den anderen Organen haben, nicht mehr reagieren, nicht mehr abwehren, geschweige verdauen und ausscheiden. Das hat ihn verrückt gemacht. Und ein Künstler ist lieber kaputt als verrückt. Aber reden wir lieber von dem heißen, schwülen Wetter, das sich an jedes Herz geklammert hat — und das seine abgedrückt.

Für mich ist er an gebrochenem Herzen gestorben. Die Geliebte eines jeden Künstlers, die saugrobe Wirklichkeit, hat ihn verpönt. Was hat er gemacht, und was hat er gekriegt. Wer Mist fressen kann und Gold scheißen, ist das nicht ein wunderbarer Mann? Ich könnte jetzt keinen seiner Filme sehen. Ich könnte diesen Schmerz nicht ertragen, diesen Schmerz, der jetzt mit seinem Tod so wild zusammenschlägt.

Gestern schlich ich mit meinem Freund Gunter ein paar Straßenzüge entlang. Es ging uns dreckig, weil wir Essigwasser getrunken hatten. Im Türkendolch wollten wir irgend einen Film sehen. Dieses Kino ist so ein enger langer Schlauch, in den man sich hineinschiebt und vorne die Seligkeit erwartet. Diese ewige Hundescheiße auf dem Trottoir war zum Kotzen! Und diese Boutiquen! Und überhaupt! In einem Schaukasten des Türkendolch sind keine Aushängephotos, kein Plakat. Ein kleines Illustriertenphoto von Fassbinder. Und eine lange Rose aus einem Joghurtglas neigt sich zu diesem Photo, auf dem Fassbinder mit einem Finger auf seine Nase weist.

Nein, mein Typ war er nicht, weil es den nicht gibt, aber seine Bubenaugen im Friedhof sind eine verdammte Scheiße, so eine verdammte Scheiße! Nein, HÄNDLER DER VIER JAHRESZEITEN habe ich mir abends nicht im Fernsehen angesehen, nein, ich mag nicht einmal an den Mann denken, der sich immer nur eine Platte anhört und zum Fenster hinaussieht. Und die Geliebte hinter den Grabsteinen, nein, ich mag nicht einmal drandenken. Ein ganz hübsch verschissene Zeit, da blutende Gefühle die letzten sind, die noch eine Menschlichkeit aufreißen. Viel lieber würde ich sagen: Fassbinder war ein Mann, der keinerlei Abhängigkeit erzeugte. Niemand hat seinen Tod bemerkt. Ohne eine Tat hat er die Annehmlichkeiten des Lebens weder vermehrt noch gemindert.

Ohje! Ohje!

Vorspann zum Film DER DEPP, abgedruckt in *SZ*, 10.12.82

Für Max

Als du mit dem Sterben fertig warst
Wann das nur begonnen hat
als die Sonne aus war und die Erde (dir) barst
war das Deutschland mir so mächtig matt.

Da stehst du, Rainer Werner Faal
und gehst mir nicht aus meinem Blick
Der höchste Berg ist ohne dich ein Tal
und wer draufsteigt stürzt nur auf dich zurück.

T. B.

168

Juliane Lorenz

Rainer Werner Fassbinder

Nicht das Denken, sondern der Traum erweitert das Leben
RWF

Wenn einer eine Liebe im Bauch hat ... dann hat er es nicht ganz einfach in diesem Leben.

Wenn er sich aber dazu entschließt, diese Liebe nicht verkümmern zu lassen, dann kann dabei etwas Wunderschönes entstehen.

Zum Beispiel ein Leben zwischen 1945 und 1982 und dessen künstlerischer Ausdruck in der ehemaligen Bundesrepublik Deutschland.

Als ich Rainer 1976 in München in einem Schneideraum der Bavaria-Ateliers zum ersten Mal traf, wußte ich noch nicht, daß er derjenige sein würde, der meine berufliche und persönliche Entwicklung ganz entscheidend prägen und fördern würde.

Bis heute gibt es niemand, dem ich mehr zu verdanken gehabt hätte.

Es gibt auch niemand, dem ich mich so nah fühlte, daß dessen Abwesenheit auf diesem Planeten mich immer noch mit großer Trauer erfüllt.

Rainer Werner Fassbinder hat nicht nur Erinnerungen hinterlassen, sondern ein ganzes Werk. Es ist ein Werk, das politische Schwankungen und Veränderungen überdauern wird. Es berichtet vom Menschen und seinen Gefühlen, seinen Beziehungen zu anderen innerhalb einer Gesellschaft, die wir demokratisch nennen. Es zeigt, daß es immer mehr Träume, Ideen und Interessen gibt, als diese für sinnvoll erachtete Gesellschaft bestätigen kann. Und manch einer ist diesen Anforderungen und Widersprüchen gewachsen, und manch einer eben nicht.

Sich diesen Zusammenhängen in literarischer *und* filmischer Weise anzunähern, sie auch nicht nur zu beschreiben, sondern sich auch dem Leben selbst zu stellen, ist wohl kaum einem so sehr gelungen wie ihm.

In diesem Katalog zur Ausstellung über Rainer Werner Fassbinder sollte es letztendlich nicht darum gehen, einen Mythos zu beschreiben, ihn gar zu bestätigen — auch wenn ein erster Blick diesen Eindruck hinterlassen könnte.

Auch eine private Auslegung und Betrachtung — quasi in öffentlicher Form — ist nicht beabsichtigt.

So wie mir Rainer einmal den Rat gab, nicht allzu viel *über* einen Autor oder Künstler zu lesen, vielmehr sein Werk selbst zu betrachten, so möchte ich diesen für mich sehr einsichtigen Rat weitergeben. Und dem Leser und Filmzuschauer dabei viel Freude und auch Wut wünschen dürfen, denn letztere könnte möglicherweise mit der Einsicht aufkommen, daß es vor gar nicht allzu langer Zeit in der ehemaligen BRD einen Menschen gegeben hat, der nicht nur vieles ausdrückte, sondern auch manches in Bewegung setzt. Ein Mensch, der gegen den Strom des Üblichen schwamm, sich auch zuletzt mehr und mehr zu behaupten wußte, aber eben viel zu früh starb.

Aber warum brauchen wir eigentlich immer jemanden, der das Außergewöhnliche für uns erledigt?

RWF, Berlinale 1982

Juliane Lorenz, Berlinale 1982

Herbert Gehr

Die
Ausstellung

Neben der Retrospektive ist die Ausstellung zu Leben und Werk Rainer Werner Fassbinders das zentrale Veranstaltungselement der Werkschau in Berlin. Die Ausstellung ist vom 31. Mai bis zum 19. Juli im Ausstellungszentrum unter dem Fernsehturm, Berlin Alexanderplatz, zu sehen — ein Schauplatz, der auf das Hauptwerk Fassbinders verweist, das 14teilige Fernseh-Epos BERLIN ALEXANDERPLATZ nach dem Roman von Alfred Döblin, welches Fassbinder 1980 als »Protokoll einer Beschäftigung mit dieser ganz speziellen Literatur mit meinen filmischen Mitteln letztlich wohl als Experiment« (RWF) vorlegte.

In der Ouvertüre zur Ausstellung stimmt eine surreal anmutende, verspiegelte Videolandschaft das Publikum auf diesen Teil der Werkschau ein: jeder von Fassbinder gedrehte Spielfilm und jede Fernsehfilmfolge ist auf jeweils einem Monitor zu sehen. In dieser Installation im Erdgeschoß des Ausstellungskomplexes verdichtet sich das 14jährige Schaffen Fassbinders zu einer optisch-akustischen Collage.

Den Weg aufzuzeigen, der zu diesem Werk führte, unternimmt die Ausstellung im Obergeschoß, wo den Besucher in inszenierten Räumen Original-Dokumente — Manuskripte, Produktionsunterlagen, Drehbuchdiktate auf Tonband, Mitschnitte von Interviews, Versatzstücke des Filmemachens, Fotos — und Requisiten aus dem Leben des Dichters, Schauspielers und Filmemachers erwarten. In spannungsreicher Wechselbeziehung mit der Retrospektive will die Ausstellung solcherart auf die Filme Fassbinders neugierig machen und zum tieferen Verständnis seines Werks beitragen.

Ihre räumliche Gliederung entspricht dem Prozeß des Filmemachens — von der Idee und dem Schreiben über die Vorproduktion und die eigentlichen Dreharbeiten bis zum fertigen Film. Diese zunächst allgemeingültigen Stadien im Arbeitsprozeß werden durch die Besonderheiten dieses Künstlers konkretisiert und damit unverwechselbar gemacht: durch die Darstellung von Fassbinders außergewöhnlicher Produktivität, seiner Radikalität, seiner Vermittlung zwischen jung und alt, Publikum und Ambition, Film und Fernsehen. Indem sie es unternimmt, seine Individualität und Ausnahmestellung im deutschen Film der Nachkriegszeit herauszuarbeiten, zeichnet die Ausstellung auch die künstlerische Entwicklung Fassbinders nach und veranschaulicht die schöpferische Umsetzung eines nur 37 Jahre währenden Lebens.

Mit Barbara Sukowa und
Mario Adorf, Dreharbeiten zu
LOLA, 1981

DIE EHE DER MARIA BRAUN, 1978

Ich wußte, ich werd' Filme machen. Das wußte ich, seit ich zwölf war. Das war für mich gar keine Debatte, das war alles nur eine Frage der Zeit, wann das passieren wird . . . Ich war viel im Kino, und das war das einzige, was mich wirklich interessiert hat.

Die ersten beiden Ausstellungsräume sind Kindheit und Jugend Rainer Werner Fassbinders gewidmet, der am 31. Mai 1945 in Bad Wörishofen geboren wurde. Fotos und persönliche Dokumente illustrieren seinen Lebensweg bis zu den ersten Versuchen, professionell künstlerisch zu arbeiten und zu diesem Zweck nach dem Schauspielunterricht in München auch die Ausbildung an einer Filmhochschule anzustreben. Mit der Dokumentation von Fassbinders vergeblichen Bewerbungen an der Deutschen Film- und Fernsehakademie Berlin 1966 und 1967 schafft der zweite Raum den Hintergrund zum Verstehen der Leistung und des unbeirrbaren Willens des gerade 20jährigen, trotz der Rückschläge innerhalb der Institutionen Filmemacher zu werden. Darüberhinaus dokumentieren Fotos das politische Zeitgeschehen seit Kriegsende, das Fassbinder — wie bewußt auch immer — nicht nur erlebt, sondern vor allem in Filmen wie DIE EHE DER MARIA BRAUN und LOLA analysiert und dargestellt hat. Hier wie in allen folgenden Räumen verzichtet die Ausstellung auf kommentierende Texte, vielmehr kommt ausschließlich Fassbinder selbst zu Wort mit Zitaten, die den Themen und Exponaten zugeordnet sind.

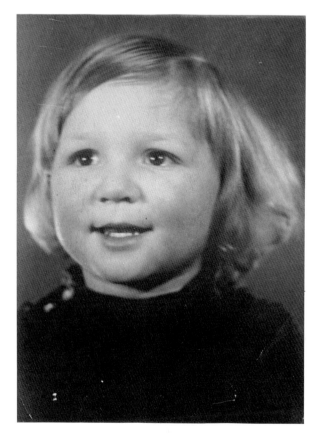

Ostern 1948

177

1953

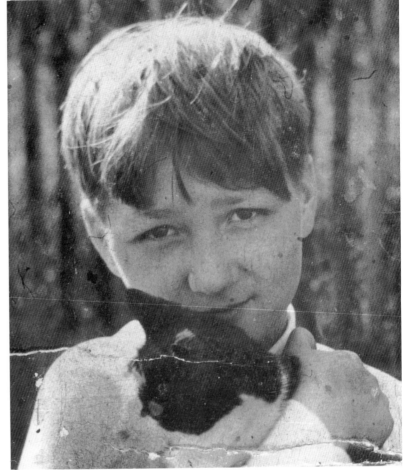

1956

*Ich hab' auch schon sehr früh ganz
alleine gelebt, ... also in einer Wohnung, wo zwei Leute gewesen sind
– weil meine Mutter, die krank war,
das Zimmer untervermietet hatte –,
aber es ist niemand dagewesen, der
auf mich aufgepaßt hätte oder so
etwas, und dann gab es in diesem
Haus, in dieser Wohnung, wo wir da
gelebt haben, da gab's halt nichts
anderes als Literatur und Kunst ...
Ich bin da wirklich aufgewachsen wie
so ein Blümchen.*
RWF, 1974

1962

Ich hab in dieser Welt [eine Person
des öffentlichen Interesses zu sein]
schon gelebt, als sie noch gar nicht
real war. ...Ich hab das, seit ich denken kann, nur für normal gehalten,
daß die Leute sich für all das, was ich
tue oder nicht tue, interessieren.
RWF, 1978

Eigentlich wollte ich von Anfang an Filme drehen, aber das war nicht so leicht, deshalb habe ich das gemacht, was leichter war, nämlich Theater. Das hat sich auch irgendwie bezahlt gemacht, denn als ich anfing, Filme zu drehen, war es für mich leichter, weil ich eben vom Theater kam. Der Erfolg, den ich dann hatte, und daß die Filme überhaupt zu den Festivals kamen, das hat halt damit zu tun, daß Theater in Deutschland besser angeschrieben ist als Film.

Nach seinen ersten Kurzfilmen DER STADTSTREICHER (1966) und DAS KLEINE CHAOS (1967) stößt Fassbinder im März 1967 auf das Münchner Action-Theater, wo er zunächst als Schauspieler und schließlich als Autor und Regisseur arbeitet. Auch nach seiner endgültigen Etablierung als Filmemacher arbeitet Fassbinder immer wieder bis 1976 parallel für das Theater. Die erste Aufmerksamkeit, die er als Künstler erregt, fällt in die Zeit des Action-Theaters und ab Sommer 1968 in die des antiteaters. Über seine Arbeiten für Film, Theater und Fernsehen hinausgehend, setzt er sich zudem als Dramatiker durch und wird beispielsweise mit den Stücken »Katzelmacher«, »Blut am Hals der Katze«, »Die bitteren Tränen der Petra von Kant« oder »Bremer Freiheit« nicht nur in Deutschland, sondern auch auf internationalen Bühnen gespielt. Diese anhaltende Wirkung illustriert der nächste, Fassbinders Theaterarbeit gewidmete Raum, in dem sich vor einem nachempfundenen Bühnenraum Aufführungsplakate, Programme, Fotos und Manuskripte finden.

Action-Theater,
«Leonce und Lena»,
1967,
Kirstin Petersen,
Peer Raben, Ursula
Strätz, RWF

Nichts langweilt mich gewöhnlich mehr als die normalen gediegenen Theateraufführungen, mögen sie das auch auf höchster Ebene sein. Hier jedoch [im Action-Theater, München 1967] erregte mich das, was auf der Bühne geschah, wie es geschah und was dadurch im Zuschauerraum ausgelöst wurde, eigentlich ganz gegen meinen Willen so konkret, daß es mir fast den Atem raubte. Zwischen den Schauspielern und dem Publikum entstand etwas wie Trance, etwas wie eine kollektive Sehnsucht nach revolutionärer Utopie. Noch während der Vorstellung stand mein unabänderlicher Entschluß fest, hier, in diesem Theater, in dieser Gruppe mitzuarbeiten ...
RWF, 1981

Programmheft »Lulluh/Orgie Ubuh«, 1968

Peer Raben und Kurt Raab in »Der
amerikanische Soldat«, antiteater 1968

BLUT AM HALS DER KATZE

Stück
Rainer Werner Fassbinder

Regie
Rainer Werner Fassbinder

antiteater münchen

Marilyn Monroe contre
les vampires

URAUFFÜHRUNG

Programmheft »Blut am Hals
der Katze«, Nürnberg 1971

»Anarchie in Bayern«, München 1969,
Bremen 1970

»Das brennende Dorf«, Bremen 1970

Mit Margit Carstensen in »Blut am Hals
der Katze«, 1971

Margit Carstensen und Wolfgang Schenck
in »Bremer Freiheit«, Bremen 1971

»Pioniere in Ingolstadt«, Bremen 1971

Das Wichtigste für mich am Theater ist, mit den Menschen auszukommen, und ich halte mir da tatsächlich auch zugute, daß ich mit anderen Menschen besser arbeiten kann als viele andere.
RWF, 1974

»Liliom«, Bochum 1972

Mit Margit Carstensen bei den Proben
zu »Hedda Gabler«, Theater der freien
Volksbühne, Berlin 1973

Ensemble von »Onkel Wanja«, TAT 1974

Mit Margit Carstensen in »Fräulein
Julie«, TAT 1975

Ich bin ein antiautoritärer Typ – ich
kann keinen Zwang vertragen. Das
ist ein Thema meiner Schulzeit,
und letzten Endes ist das auch
der Grund, warum meine Frankfur-
ter Zeit am TAT vorzeitig zu Ende
ging ... Dabei fordere ich, wenn ich
arbeite, von meinen Kollegen und
Mitarbeitern Disziplin und Pünkt-
lichkeit, ich verlange sie auch von mir.
RWF, 1977

Lust an anderen Geschichten, Stoff hab' ich genug. Stoff ist gar kein Problem. Ich brauche nur eine Zeitung aufzuschlagen, da hab' ich Geschichten genug. Das ist nicht die Frage. Es ist die Lust an einer bestimmten Art von Geschichten oder das Bedürfnis, mich mit einer bestimmten Geschichte zu beschäftigen.

Ein Schlaglicht auf Rainer Werner Fassbinders dichterisches Œuvre wirft der folgende Raum, in dem Manuskripte und Typoskripte von Stücken, Hörspielen, Filmexposés, Songtexten und »ungeordnet Gedanken« ausgestellt sind. Daneben ist eine Auswahl seiner Originaldrehbücher ausgestellt, wobei vor allem diejenigen Stücke Aufschluß über seine präzise visuelle Vorstellungskraft vermitteln, in denen Fassbinder mit kleinen Zeichnungen bereits Einstellungsgrößen festlegte.

Wenn das Drehbuch so ist, daß ich darauf geschrieben habe, was für mich notwendig ist oder für die Leute, mit denen ich zusammenarbeite – und die etwas damit anfangen können und verstehen, was ich mir da vorgestellt habe – dann finde ich ein Drehbuch schon richtig. Wenn jedoch ein Drehbuch dazu da ist, daß Leute, die hinterher gar nichts mit dem Projekt zu tun haben, es gut finden sollen oder müssen, dann ist es falsch, ein Drehbuch zu schreiben ...

RWF, 1982

Ein Drehbuch muß nicht so zu lesen sein wie eine Kurzgeschichte. Ein Drehbuch, wie ich es mir vorstelle, beinhaltet Notizen zu einem Thema, die für Mitarbeiter gemacht wurden.
RWF, 1982

Ich habe Drehbücher auch schon ganz ausgeschrieben, so, daß man es nur noch verfilmen mußte. Das war. z. B. bei ALEXANDERPLATZ notwendig, weil ich mich irgendwie dieses Buches bemächtigen mußte. Das ging nicht anders, d. h. es wäre auch anders gegangen, aber es traf sich ganz günstig, denn indem ich das Drehbuch geschrieben habe, habe ich für meine Begriffe auch den Stoff in die Hände bekommen. Und dann habe ich mich wirklich Einstellung für Einstellung daran halten können. Es sind also – ich weiß nicht mehr wie viele tausend Einstellungen das Drehbuch hatte – mit Sicherheit 95 Prozent genauso gedreht worden, wie sie im Drehbuch standen. RWF, 1982

- 6 -

8.

Vorn nah mit dem Rücken zur Kamera sitzt Trude, sie hat einen Pelzmantel, gesenkten Kopf, schwarze Glacé-Handschuhe und einen Zettel in der Hand. Dahinter ein Wärter, es ist Eliser, der mit einem Stock entlanggeht und Papierfetzen aufsticht. Aus der Halbtotalen kommen Franz und die beiden Engel. Jetzt bleiben die beiden Engel stehen, weil der eine dem andern Feuer gibt. Franz geht an dem Wärter vorbei, bleibt bei Trude stehen, hinter ihr, nimmt ihr den Zettel aus der Hand, liest vor.

Franz:
Ich kann nicht mehr leben, grüßt noch einmal meine Eltern und mein Kind, mir ist das Leben zur Qual. Nur der Reinhold hat mich auf dem Gewissen, er soll sich gut amüsieren. Mich hat er nur als Spielball benutzt und ausgesogen. Ein großer gemeiner Lump. Er allein hat mich unglücklich gemacht, ein ruinierter Mensch bin ich geworden.

Da gibt Franz ihr das Kuvert wieder.

Franz:
Ist meine Mieze hier?

Trude dreht sich zu ihm um und sagt:

Drehbuchseite Epilog BERLIN ALEXANDERPLATZ

Es gab damals nur diese weitverbreitete Sehnsucht von verschiedenen Leuten nach einer Gruppe, nach einer neuen Form von Zusammenarbeit und Zusammenleben und so.

Zwischen der Theaterbühne und dem folgenden Raum, der sich mit Fassbinders ersten Filmen befaßt, steht eine Litfaßsäule, die den historischen Kontext illustriert — die bewegte und bewegende Zeit von der Notstandsgesetzgebung bis zur Wahl Willy Brandts zum Bundeskanzler, die Aufbruchstimmung der antiautoritären Bewegung und damit auch die von Fassbinder und seinen Freunden und Mitarbeitern gehegte Gruppensehnsucht.

DER BRÄUTIGAM, DIE KOMÖDIANTIN UND DER ZUHÄLTER, Regie: Jean-Marie Straub, 1968

190

Mit Kerstin Dobbertin, Hanna Schygulla, Günther Kaufmann, Ursula Strätz, Rudolf Waldemar Brem, Kurt Raab, Margit Carstensen, Harry Baer und Peer Raben, aufgenommen nach den Dreharbeiten von DIE NIKLASHAUSER FART im Garten des Hauses in Feldkirchen, Ottostraße 1970

ENSEMBLE ZU LILIOM, Bochum 1972

Die Gruppe braucht keinen führenden Kopf. ... Ich war nur mit lauter Leuten zusammen, die letztlich doch immer wieder einen Vater und eine Mutter gesucht haben und, tja, ... Ich hab's anfangs, würde ich sagen, mitgemacht, weil ich dachte, es ist eine Übergangsphase. Irgendwann mal ist mir auch klargeworden, daß es wohl keine Übergangsphase ist, sondern daß das wohl meine Rolle ist, die ich zu spielen habe. Das ist bedauerlich, aber das ist ein gesellschaftliches Phänomen, an dem wir genauso wenig vorbeigekommen sind wie alle anderen.
RWF, 1978

Ich habe im Theater so inszeniert, als wäre es Film, und habe dann den Film so gedreht, als wär's Theater; das hab' ich ziemlich stur gemacht. Dann habe ich aber angefangen, die Erfahrungen anders einzusetzen.

Stellvertretend für seine Anfänge als Filmemacher folgt ein Raum mit einem Motiv aus KATZELMACHER, der 1969 entstand und Fassbinders Durchbruch bei Publikum und Kritik markiert. Diese Anerkennung dokumentieren Auszeichnungen von der Filmwoche Mannheim bis zum Bundesfilmpreis für Regie, den Fassbinder für diesen Film erhielt. Als Metapher für diese wagemutigen Anfänge, die immer in Beziehung zu den Rückschlägen und den Umwegen über das Theater zu sehen sind, fungiert in diesem Raum ein Ensemble, das aus einem großen KATZELMACHER-Szenenfoto und der alten Arriflex-Kamera besteht, mit der Fassbinder und sein damaliger Kameramann Dietrich Lohmann diesen Film drehten. Ein Videofilm mit einem frühen Fernsehinterview, in dem Fassbinder zu seinen ersten Filmen befragt wird, ergänzt diesen Ausstellungsteil.

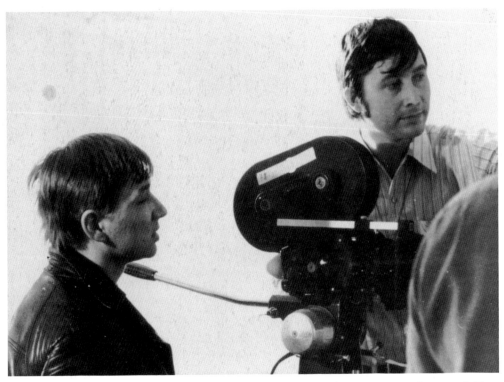

Mit dem Kameramann der ersten beiden
Drehtage (Name unbekannt) zu
LIEBE IST KÄLTER ALS DER TOD, 1969

Plakat zu Liebe ist kälter
als der Tod, 1969

Mit Dietrich Lohmann und Hanna
Schygulla während der Dreharbeiten zu
KATZELMACHER, 1969

*Von Anfang an habe ich die Leute
so behandelt und so gefilmt meiner
Ansicht nach, als wären es Stars ...
nicht einfach dadurch, daß man
jemand vor eine Kamera stellt, wird
er ein Star, sondern nur in einer
bestimmten Funktion, in einem
bestimmten Bild, in einer bestimmten
Kamerabewegung. Wenn die Kamera
nicht Hollywood ist, dann ist auch
der Schauspieler, der fotografiert
wird, nicht Hollywood.*
RWF, 1974

Es ist so, daß man irgendwann einmal eine Idee hat, einen Film zu machen. Und es gibt sehr viele Gründe, die man haben kann. Und dann setzt man sich zusammen mit ein paar Leuten, mit denen man gut arbeiten kann, und entwickelt aus dieser Idee eine Geschichte.

Der nun folgende Raum erlaubt dem Ausstellungsbesucher einen voyeuristischen Blick in Fassbinders Privatambiente, die »Mansarde«, wobei es in Fassbinders Leben aufgrund seiner schier unglaublichen Produktivität eine Trennung in Privatheit und Arbeit kaum gegeben hat. Seine Arbeitswut — 44 Filme, 26 Eigen- und Koproduktionen, 21 Schauspielerauftritte, 14 originär geschriebene, sechs neubearbeitete und 25 inszenierte Theaterstücke, sowie vier Hörspiele in den Jahren zwischen 1966 und seinem frühen Tod 1982 — ist ein Phänomen, das sich der Vorstellungskraft zu entziehen droht. Um diese Energie und die Durchdringung des gesamten Lebens mit Arbeit dennoch ansatzweise zu veranschaulichen, stehen die Original-Requisiten aus Fassbinders persönlicher Umgebung — Bücher, Talismane, Zeitungen, Manuskripte, Drehbücher, Schreibgerät, Kassetten — für seine Neugier, seine Art der Aneignung von Stoffen, sein Umsetzen und sein kreatives Potential. Im gleichen Zusammenhang ist der folgende Raum, die »Küche« zu sehen, die ebenfalls mit Gegenständen aus Fassbinders persönlicher Umgebung ausgestattet ist und den Schritt vom individuell schreibenden zum kommunizierenden Filmemacher nachvollzieht, der seine Projekte vorzugsweise in diesem Ambiente mit den Stabmitgliedern entwickelte.

1974

Ein Gespräch weiß ich noch ganz genau, das war in seiner Küche, über LILI MARLEEN *– da am Küchentisch über ein Riesenprojekt zu sprechen, war für mich ein einmaliges Erlebnis. Wir waren so ungefähr acht Stunden zusammen, haben aber vielleicht nur fünf Stunden über den Film gesprochen. Drei Stunden hat Rainer nur geträumt, und ich dachte schon, jetzt müßte er ja langsam mal kommen, aber das brauchte er. Und als er dann einstieg – wir haben uns über das Konzept unterhalten, ich hab mit ihm die Pläne vorbereitet ...*
Rolf Zehetbauer, 1991

IN DEUTSCHLAND IM HERBST, 1977

196

*Ich weiß, daß meine Kritiker mich
oft für einen Psychopathen halten –
aber wie ich die Dinge sehe, haben
die oft einen Therapeuthen eher
nötig als ich – denn ich kann
schließlich all das im Film loswerden,
was mich bedrückt oder belastet.*
RWF.

Mit Michael Ballhaus während der
Dreharbeiten zu WELT AM DRAHT, 1973

Es ist so, daß ich, wenn ich einen Film machen möchte unbedingt, mich nicht darauf einlasse, dafür jahrelang nach Geld zu suchen, sondern ich mach' den dann, wenn ich nicht schnell genug Geld kriege, eben auf Risiko.

Der dritte Raum in diesem Komplex ist das »Büro«, ausgestattet mit Dokumenten, die den Filmproduzenten Fassbinder beleuchten. 1971 brach das antiteater auseinander und Fassbinder war mit den Schulden des Ensembles konfrontiert, für deren Tilgung er letztendlich allein aufkommen mußte. Er gründete seine eigene Produktionsfirma, die »Tango-Film Rainer Werner Fassbinder«, um sich nicht in Abhängigkeit vorhandener Branchenstrukturen begeben zu müssen, die seine kompromißlose Arbeitsweise ohnedies nicht zugelassen hätten. Daß das Filmemachen — entgegen aller Vorurteile auch im Falle Fassbinders — gehörige organisatorische Leistungen und Selbstdisziplin erfordert, zeigen Dokumente wie Verträge, Tagesberichte, Kalkulationen, Besetzungslisten und vieles mehr zu seinen in Eigen- oder Koproduktionen hergestellten Filmen. Exemplarisch werden in einem Blätterbuch die Produktionsunterlagen von DIE DRITTE GENERATION vorgestellt, den Fassbinder, wie so oft bei sogenannten kleinen Filmen, die er nach sogenannten großen drehte, allein seinen aktuellen Wünschen folgend ohne Rücksicht auf Erhalt von Zuschüssen hergestellt hat.

Liebe Mutter —
mir geht es gut!
Hoffentlig auch Dir!
Nachträglich etwas zum Geburtstag, hoffe es gefällt Dir. Vielen Dank fürs Abtippen.
Dein Rainer

Es ist fast wie eine Krankheit. Ich kann keinen Urlaub machen. Ich kann mich nicht in die Sonne legen. Ich habe eine ziemlich lange Zeit sehr gekämpft und ziemlich gehungert. Aber ich habe immer meine Mutter gehabt, die mir ein paar Mark zugesteckt hat, die ich zum Nichtverhungern brauchte. In der ersten Zeit, in der ich noch in München im Action-Theater war, habe ich vielleicht 2,50 DM am Tag verdient.
RWF, 1975

Mit Wolfgang Rühl und Hans-Günther
Bücking während der Dreharbeiten zu
DIE DRITTE GENERATION, 1978

Ich habe den Film DIE DRITTE
GENERATION so gedreht, wie ich es
getan hätte, wenn ich 500 000 Mark
mehr gehabt hätte. Das ist eine Mut-
oder eine Verrücktheitsfrage. Ich hätte
noch aufhören können, dann wären
meine Schulden kleiner gewesen, aber
ich hätte den Film nicht gehabt,
jedoch die Möglichkeit gab's für mich
nicht. Vielleicht ist das etwas, was
man von anderen Leuten nicht
verlangen kann ... Ich würd' das
schon von anderen Leuten verlangen
– so ungerecht wie ich bin. Warum
könnt ihr das nicht, wenn ich das
kann? Aber wenn ich das mal ruhig
überlege, dann kann ich das doch
nicht verlangen von jemand; daß da
nämlich in erster Linie der Film da
ist und ein Haufen Schulden, und der
weiß dann nicht, wie er die
zurückzahlen soll. Aber nur so
würden die Filme entstehen können,
die dann vielleicht mal eine Industrie
ergäben. Anders kann ich mir's nicht
vorstellen.
RWF, 1979

1978

Was ich möchte, ist ein Hollywood-Kino, also ein Kino, das so wunderbar und allgemeinverständlich ist wie Hollywood, aber gleichzeitig nicht so verlogen.

Die Ausstellung verweist im nächsten Raum auf einen weiteren wichtigen programmatischen Aspekt in Fassbinders Filmarbeit, den Aufbau professioneller Arbeitsstrukturen, die nach seinen Vorstellungen weder im maroden Studiosystem der Altbranche noch im Geflecht des Jungen Deutschen Films anzutreffen waren. Fassbinder gelang es nicht nur, etliche seiner Mitarbeiter zu versierten und erfolgreichen Profis zu machen: die Schauspielerin Hanna Schygulla oder der Kameramann Michael Ballhaus beispielsweise genießen Weltruhm; er versicherte sich auch der Mitarbeit »alter Hasen«, etablierter Schauspielerinnen und Schauspieler, die wegen ihrer Engagements in der Altbranche von Jungfilmern verschmäht wurden, und versierter Spezialisten »hinter der Kamera« wie des Filmarchitekten Rolf Zehetbauer, der von DESPAIR (1977) bis QUERELLE (1982) fünf der aufwendigsten Filme Fassbinders ausstattete. Wie noch drei weitere Bereiche der Ausstellung, thematisiert der Raum »Ausstattung« diesen Mitarbeiter-Aspekt. Entwürfe, Pläne, Zeichnungen und Modelle illustrieren die Arbeit des Filmarchitekten, der die meist nur knapp umrissenen Vorgaben Fassbinders umsetzte.

Für mich war das in meiner Laufbahn eine ganz tolle Sache, mit so einem Filmemacher wie er einer war zu arbeiten. Und er war aktiv, hat immer weitere Pläne gehabt. Die andern sind grad froh, wenn ein Film vorbei ist, sagen: Werden sehn, wann wir dann den nächsten machen. Er hatte aber immer drei, vier Projekte in Arbeit, während er noch an dem jeweiligen Film gedreht hat. Und das hab ich nicht mehr wieder erlebt.
Rolf Zehetbauer, 1991

Ich glaube, die erfolgreiche Arbeit eines Ausstatters hängt absolut damit zusammen, daß man spürt, was der Regisseur will. Es steht ja viel im Buch, aber es gibt eine eigene Sprache, die der Regisseur hat, jeder hat eine andre. Und da war's bei Rainer eben – jetzt sag ich mal – zunächst einfach, weil er – so konnte man denken – im Gespräch oberflächlich auf die Sache eingegangen ist. Denn wenn man 'ne Dekoration, wie bei QUERELLE später, nach 'ner Viertelstunde akzeptiert, dann denkt man sich: Ja Mensch, hat der sich das überhaupt richtig angeguckt oder so. Bei

QUERELLE hatten wir ein Modell. Und ob er sich das angeguckt hatte! Er wußte genau im Atelier, wo's langgeht. Obwohl er zunächst ein anderes Konzept entwickelt hatte für QUERELLE - mit Aufpro, mit Projektionsflächen usw. Ich habe ihm gesagt, ich finde das mit den Projektionsflächen nicht so besonders gut, sondern wir müßten eine Simultandekoration haben, in der er sich bewegen kann und nicht gebunden ist an Projektionsflächen. Und dabei blieb es dann, und das war die letzte Arbeit – leider.
Rolf Zehetbauer, 1991

Mit Rolf Zehetbauer in den Studiobauten zu QUERELLE, 1982

LILI MARLEEN, 1980

Manchmal haben wir sehr lange gesprochen, so sieben bis acht Stunden, bei LILI MARLEEN zum Beispiel, und bei anderen Filmen wieder nur 1/4 oder 1/2 Stunde. Als Ausstatter hat man ja eine eigene Perspektive. Man baut Dekorationen so, daß sie eine Schokoladenseite haben und von einem Punkt aus optimal zu fotografieren sind. Dann steigt der Regisseur ein, und danach spielt der Darsteller die wichtige Rolle. Die Dekoration wird zum Rahmen. Und Rainer ist immer ins Atelier gekommen, hat sich umgeguckt und hat sich an diesen – aus meiner Sicht – idealen Punkt gestellt. Das war unter anderem das Faszinierende an dieser Zusammenarbeit. Er hat es voll genutzt. Er wurde zur Bestie, wenn man was verpatzt oder überlesen hatte. Ich glaube, bei mir ist da nichts passiert, was nicht heißt, daß ich unfehlbar bin, nur, er wollte die Präzision, mit der er die Bücher vorbereitet und vorbereitende Gespräche geführt hat, die wollte er auch wiederfinden.

Rolf Zehetbauer, 1991

Ich bin Frauen gegenüber genauso kritisch wie Männern. Aber mir geht das eben so, daß ich das, was ich über die Gesellschaft sagen will, besser anhand von Frauenfiguren kann.

Kein Regisseur des Neuen Deutschen Films hat so wirkungsvoll wie Fassbinder durch Inszenierungskunst, Führung der Schauspieler, Maske, Kostüm, Licht und Kamera Frauenfiguren geschaffen, und keiner hat so einfühlsam und stimmig wie er deren Geschichten erzählt. Dabei hat er den durch Aufwand, Ausstattung, Lichtführung erzeugten »Glamour« seiner späten Filme dazu genutzt, die gesellschaftspolitische Bedeutung seiner Filmstoffe dem Publikum nahezubringen. Zu den Mitarbeiterinnen und Mitarbeitern, deren jeweilige Fähigkeiten Fassbinder zusammenzuführen wußte, gehört die Kostümbildnerin Barbara Baum. Eine große Zahl von Kostümen, die sie für Fassbinder-Filme entworfen hat, sind in diesem Raum ausgestellt, darunter Kostüme für die Frauenfiguren Effi Briest, Lili Marleen, Lola und Veronika Voss.

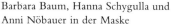
Barbara Baum, Hanna Schygulla und
Anni Nöbauer in der Maske

Mit Hanna Schygulla in der Maske zu
LILI MARLEEN, 1980

Rainer hat mich immer verteidigt und beschützt, wenn es Probleme mit der Produktion gab. Er hat mir dadurch geholfen, bestimmte Dinge durchzusetzen, die für mich alleine schwierig gewesen wären. Einmal mußte er meine Mitarbeit gegen den Willen des Produzenten duchsetzen. Man konnte sich bei ihm sicher fühlen. Oft haben mich Leute gefragt: »Ist es nicht schrecklich, mit ‚dem Fassbinder' zu arbeiten?« Dann antwortete ich immer: »Habt ihr ihn gekannt? Habt ihr mit ihm gearbeitet? Wie kommt ihr überhaupt dazu, so etwas zu behaupten!« Seine Energie, seine Produktivität, seine verrückte Phantasie, sein unglaubliches Gedächtnis, seine Wachheit, mit der er blitzartig alles durchschaute, seine Menschenkenntnis und sein Lachen waren absolut einmalig.
Barbara Baum, 1990

Kostüm für Hanna Schygulla
als Lili Marleen

Effi Briest

Meine Zusammenarbeit mit RWF begann mit der EFFI BRIEST 1972/73. Daß sich hieraus eine so intensive, wunderbare, lange, gemeinsame Arbeit von 10 Jahren entwickeln würde, hätte ich damals nie gedacht. Persönlich begegnet ist er mir das erste Mal bei einem Film, den Reinhard Hauff 1970/71 in der Bavaria in München drehte, und zu dem ich die Kostüme machte. Es war die Legende vom Wilderer MATTHIAS KNEISSL.
Barbara Baum, 1990

Bei MARIA BRAUN sagte RWF zu mir: »Die Kostüme sind für mich wichtiger als die Bauten, weil sie sich nicht so schnell verändern können. Durch die Kostüme will ich signalisieren, in welcher Etappe der Kriegs- und Nachkriegszeit man sich befindet, und ich möchte, daß durch die Kostüme die Entwicklung zum Wirtschaftswunder deutlich zum Ausdruck kommt, allgemein und besonders deutlich bei der Karriere der Maria Braun«. Mehr mußte er mir nicht sagen, damit war die Richtung ganz klar bestimmt.
Barbara Baum, 1990

Für Mario Adorf (Schückert)
und Barbara Sukowa (Lola) in LOLA

Für Rosel Zech
als Veronika Voss

Für Jeanne Moreau als Lysiane
in QUERELLE

Privatanzug RWFs nach dem
Kostüm aus KAMIKAZE 1989
(Modellatelier Jerabek, München)

Rainers Art, über Fime nachzu-
denken, hat mich immer sehr
beflügelt. Er hatte den ganzen Film
immer völlig klar im Kopf und hat
nur noch die Bilder herausgelassen.
Es gab ein präzises Tagespensum
und ein Storyboard; jeder wußte, was
gemeint war. Alle versuchten, gut
und schnell zu sein. Es wurde sehr
selten etwas wiederholt, und wir
haben nie Muster, sondern immer
nur den Schnitt gesehen. Das war
ganz toll, denn man konnte alles im
Zusammenhang sehen. Dadurch ließ
sich auch die Wirkung eines Kostüms
besser beurteilen.
Barbara Baum, 1990

Einen Film zu machen, ist für mich das Spannendste und Intensivste und Schönste, was es gibt.

Den Filmemacher Fassbinder bei der Ausübung seines Berufes oder vielmehr: in Erfüllung seiner Berufung, stellt der nächste Raum dar. Hier sind die Requisiten der Dreharbeiten versammelt, Kamera und Kamerawagen, Scheinwerfer, Regie-Stuhl, Klappe und Drehbuch. Sie bilden den Rahmen für eine Auswahl der wichtigsten Fotografien, die Fassbinder bei Dreharbeiten zeigen, und für die Vorführung einer Fernsehdokumentation, die ihn bei der Inszenierung von Berlin Alexanderplatz beobachtet.

Händler der Vier Jahreszeiten, 1971

*Ich habe immer total akzeptiert, daß
er die Auflösung machte, ohne zu
fragen. Normalerweise mache ich es
ja mit den Regisseuren gemeinsam,
schon deshalb, weil sie es nicht
wissen. Das fiel bei ihm weg. Sagen
wir es mal anders rum: Ich konnte
mich bei ihm schon extrem auf das
Licht konzentrieren, und die
Schwenkerei war ja ganz schön
mühsam, weil es oft ganz komplizierte Dinge waren. Das hat mich
überhaupt nicht gestört. Im Gegenteil, ich habe es genossen, ich konnte
mich zum Teil auch so hingeben, es
war eigentlich angenehm.*
Xaver Schwarzenberger, 1991

BERLIN ALEXANDERPLATZ, 1980

Ich nehme Frauen ernster, als es Regisseure sonst tun. Für mich sind Frauen nicht nur dazu da, Männer in Gang zu setzen, diese Objektfunktion haben sie nicht. Das ist überhaupt eine Haltung des Kinos, die ich verachte. Und ich zeige eben, daß die Frauen mehr als Männer gezwungen sind, zu zum Teil ekelhaften Mitteln zu greifen, um dieser Objektfunktion zu entgehen.
RWF, 1976

Rainer hat beim Drehen seinen Rhythmus sozusagen schon gewußt, das ist der Unterschied. Die anderen wissen gar nicht, wie es nachher ausschauen wird, die warten ab, um dann hinterher vielleicht ein positives Ergebnis zu finden. Beim Rainer war der Bogen vorgegeben und überlegt. Das habe ich vorher nicht gewußt und nicht gekonnt und nachher sowieso nicht wieder gefunden.
Xaver Schwarzenberger, 1991

Dreharbeiten zu FONTANE EFFI BRIEST, 1972/74

Filme müssen irgendwann einmal aufhören, Filme zu sein, müssen aufhören, Geschichten zu sein und anfangen, lebendig zu werden, daß man fragt, wie sieht das eigentlich mit mir und meinem Leben aus.
RWF, 1974

Mit Harry Baer, Eva Mattes und
Dietrich Lohmann (Kamera) während der
Dreharbeiten zu WILDWECHSEL, 1972

*Nur solange man selber das Metier
lernt, glaubt man, überall den
Daumen drauf haben zu müssen.
Später nicht mehr. Ein Beleuchter,
dem man einfach Freiheiten läßt, der
kann unheimlich schöne und
wichtige Dinge für eine Produktion
machen.*
RWF, 1978

*Film ist keine Illusion. Das ist eine
ganz konkret und sauber auszu-
führende Arbeit mit sehr viel
Verantwortung. Verantwortung den
Menschen gegenüber, mit denen man
zusammenarbeitet.*
RWF, 1975

Mit Margit Carstensen, Eva Mattes,
Annemarie Kuster und Angela Schmidt
während der Dreharbeiten zu FRAUEN IN
NEW YORK, 1977

Mit Werner Schroeter, Katrin Schaake,
Hanna Schygulla und Kurt Raab während
der Dreharbeiten zu WARNUNG VOR EINER
HEILIGEN NUTTE, 1970

*Kunst ist in doch jedem Fall was
Gemachtes, und auch Schauspieler
werden gemacht. Film hat auch
damit was zu tun, daß der Regisseur
weiß, für welche Emotion er welche
Optik benützen muß.*
RWF, 1980

Mit Hark Bohm während der
Dreharbeiten zu LILI MARLEEN, 1980

Mit Xaver Schwarzenberger und
Josef Vavra während der Dreharbeiten zu
LILI MARLEEN, 1980

*Eins war ganz wichtig an dieser Zeit
mit dem Rainer, das habe ich nicht
wieder erlebt: Wenn man mit ihm
arbeitete, wenn man bei einem Film
dabei war, den er gemacht hat – und
es war immer klar, daß er ihn
macht –, dann hatte man das Gefühl,
bei etwas ganz Bedeutendem dabei zu
sein. Ob das nun stimmte oder nicht,
war ganz wurscht, man hatte dieses
Gefühl einfach. Er war fähig, das zu
vermitteln, oder die ganze Situation
war irgendwie so, daß es einen
überkam wie das Flair, daß man bei
etwas ganz Wichtigem dabei war.*
Xaver Schwarzenberger, 1991

Mit Armin Mueller-Stahl und Mario
Adorf während der Dreharbeiten zu
LOLA, 1981

Was ich von mir und meinen Filmen immer sagen würde: Daß ich auch den sogenannten kleinen Leuten große Gefühle zugestehe. Und dazu brauche ich auch die Musik. Mit Musik kann man wahnsinnig viel machen, weil sie so suggestiv wirkt.

Als Pendant zu den Räumen über Ausstattung und Kostüm fungieren die beiden Bereiche, die auf die »Dreharbeiten« folgen: der Schnitt und die Musik. Am Schneidetisch »entsteht« der Film, erhält der Film seinen Rhythmus. Fassbinder hatte mit Thea Eymèsz, Lisgret Schmitt-Klink und seit 1976 mit Juliane Lorenz Mitarbeiterinnen zur Seite, die in enger und vertrauensvoller Zusammenarbeit mit ihm seine Vorstellungen umsetzten. Eine langjährige Kooperation verband Fassbinder mit Peer Raben, den er am Aktion-Theater kennengelernt hatte, wo Raben als Regisseur zur Ur-Besetzung gehörte. Von LIEBE IST KÄLTER ALS DER TOD (1969) bis QUERELLE (1982) hat Raben für Fassbinder-Filme die Musik geschrieben und sich dadurch als Komponist für Filmmusik etablieren können. Ausgestellt ist in diesem Raum unter anderem Rabens Original-Partitur des Biberkopf-Themas aus BERLIN ALEXANDERPLATZ. Außerdem sind vom Band Musik-Themen und Songs aus Fassbinder-Filmen zu hören.

Mit Juliane Lorenz während der Dreharbeiten zu DIE DRITTE GENERATION, 1978

Daß ich mehr mache als die anderen, kann ich nur so erklären: Es muß eine Art Krankheit sein oder der Versuch, mit dieser Krankheit fertig zu werden – mit einer Art Geisteskrankheit.

Fassbinders enorme Produktivität, den Umfang seines filmischen Œuvres veranschaulichen im nächsten Raum Regale voller Filmbüchsen. Jede entspricht einem Akt eines von Fassbinder gedrehten Films in der endgültigen Verleihfassung. Darüber hängen die Filmplakate. Ausschnitte aus Fernsehinterviews, in denen Rainer Werner Fassbinder über seine Arbeitsweise spricht, vervollständigen das Ensemble. Außerdem dokumentiert ein Schaukasten mit Auszeichnungen und Preisen die Anerkennung, die Fassbinder im In- und Ausland erfuhr.

Ein Film von Rainer Werner Fassbinder mit Kurt Raab

Satansbraten

Helen Vita   Volker Spengler
Ingrid Caven   Y Sa Lo   Ulli Lommel
Vitus Zeplichal   Brigitte Mira   Hannes Kaetner
Marquard Bohm   Christiane Maybach
Kamera Michaël Ballhaus/Jürgen Jürges
Musik Peer Raben

Margit Carstensen
Armin Meier   Katherina Buchhammer
Peter Chatel   Heli Finkenzeller
Nino Korda   Adrian Hoven
eine Albatros Produktion hergestellt
von Trio-Film GmbH

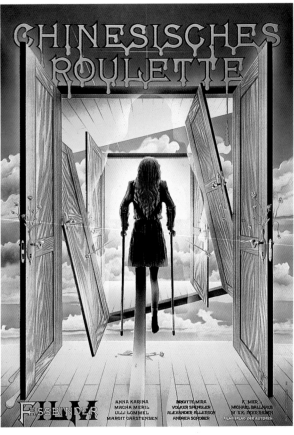

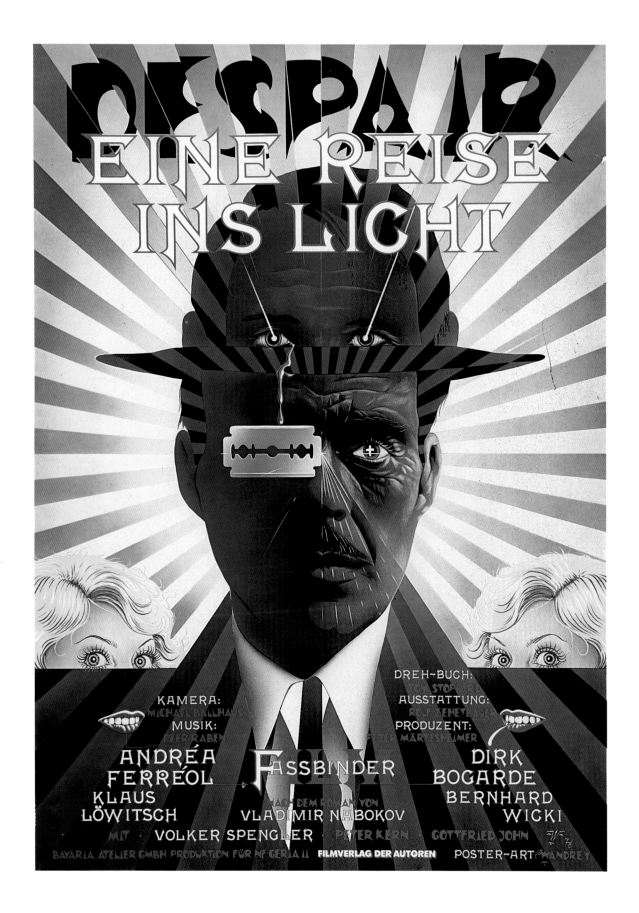

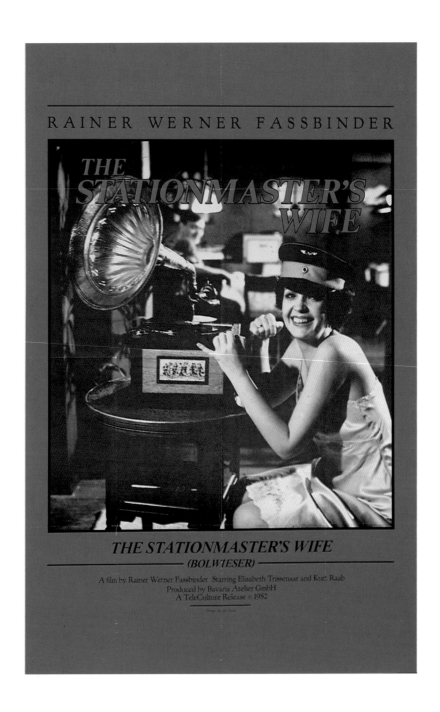

Rainer Werner Fassbinder's
"THE MARRIAGE OF
MARIA BRAUN"
with HANNA SCHYGULLA
KLAUS LÖWITSCH   IVAN DESNY

A Co-Production of Albatros Film · Michael Fengler / Trio Film / WDR A New Yorker Films Release

233

Dieser Roman hat mir bewußt oder unbewußt geholfen, mich von vielem zu befreien. Deshalb ist es eine Notwendigkeit für mich, ihn weiterzuerzählen, ihn in andere Medien zu übersetzen, damit zumindest in Ansätzen beim Zuschauer das passieren kann, was damals bei mir passiert ist.

Das Zentrum der Ausstellung bildet der »Alexanderplatz«. Zu ihm führt eine schmale gepflasterte Straße, von Bretterzäunen gesäumt, in der Produktionsunterlagen, Recherchefotos, Bautenentwürfe, Exposé- und Drehbuchseiten die Entstehungsgeschichte von Fassbinders Lebenswerk rekonstruieren, die filmische Adaption von Alfred Döblins »Berlin Alexanderplatz«, des Romans, mit dem sich Fassbinder seit seinem 14. Lebensjahr obsessiv auseinandersetzte und dessen Hauptfigur Franz Biberkopf in vielen seiner Filme mehr oder weniger verschlüsselt eine Rolle spielt. Diese Berliner Straße mündet in die audiovisuelle Installation »Alexanderplatz«, in der auf allen vier Wänden per Dia-Projektion Szenen- und Arbeitsfotos zu BERLIN ALEXANDERPLATZ zu sehen sind und der Original-Ton die Geräuschkulisse bildet.

Kostüme von Barbara Baum
für BERLIN ALEXANDERPLATZ

*Rainer wollte als Grundstimmung
grau haben, sowohl für die Solisten,
als auch für die Serie. Er sagte:
»Wir drehen einen Schwarz-Weiß-
Film, auch wenn wir einen Farbfilm
drehen.« Zu den Frauen um Franz
Biberkopf sagte er: »Sie gehen zwar
alle auf dem Strich, aber nur aus
sozialer Not, um etwas Geld dazu
zu verdienen.« Eigentlich seien sie
sehr liebenswerte Hausfrauen, und
ich dürfte sie auf gar keinen Fall mit
den Kostümen denunzieren.*
Barbara Baum, 1990

Thema „Franz B."   Peer Raben

Aus der Partitur des »Biberkopf«-Themas
von Peer Raben zu
BERLIN ALEXANDERPLATZ, 1980

*Aber ich habe ja den Willi
[Peer Raben] dazu gebracht, zu
komponieren. Er wollte gar nicht
Komponist werden, sondern
Schauspieler. Er hatte aber zwei
Semester an der Musikhochschule
studiert, und weil wir uns für eine
Aufführung keinen Komponisten
leisten konnte, habe ich damals
gesagt, er habe doch zwei Semester
Musik studiert und solle jetzt
gefälligst auch die Musik schreiben.*
RWF, 1982

Ich glaube, das Schnellsein hat ihm einfach Spaß gemacht. Ich verstehe das übrigens sehr gut: Er wollte fertig werden. Er war überhaupt kein sehr geduldiger Mensch, das war ein Punkt, der uns sehr verbunden hat meiner Meinung nach: Ungeduld und Fertigwerden wollen, das Ding haben und weglegen und das nächste anfangen. Das verstehe ich sehr gut. Das war, denke ich, einer der Hauptgründe, warum er so gebolzt hat.
Xaver Schwarzenberger, 1991

Eine Seite aus dem Drehbuch
von Berlin Alexanderplatz

*Als Berlin Alexanderplatz
abgedreht war, habe ich gesagt o. k.,
jetzt beherrsche ich dieses Gewerbe.*
RWF, 1982

Das Wichtigste ist, daß der Film einen Unterhaltungswert hat. Der neuere deutsche Film hat nämlich seit langem versäumt, sein Publikum zu unterhalten. Wir Regisseure versuchen vor allem, Probleme darzustellen, ohne dabei an den Unterhaltungswert zu denken. Meiner Meinung nach muß man beides vereinbaren können, und wenn es gelingt, wird man eines Tages vielleicht auch einen Film machen können, der internationalen Erfolg bekommt.

Dem zentralen Ausstellungsraum schließt sich ein Bistro an. Dekoriert ist es mit Plakaten internationaler Theateraufführungen von Fassbinder-Stücken, mit ausländischen Verleihplakaten seiner Filme und mit Bücherschränken, in denen in- und ausländische Publikationen über Rainer Werner Fassbinder stehen. Diese Exponate dokumentieren den internationalen Stellenwert seines Werks und damit auch den Beitrag, den Rainer Werner Fassbinder zur Erneuerung des deutschen Films und dessen internationaler Anerkennung geleistet hat.

Der deutsche Film ist im Moment der interessanteste auf der Welt. Das weiß das Ausland besser als die deutsche Kritik.
RWF, 1975

Mit Brigitte Mira, Irm Hermann und
Laurens Straub in Cannes, 1974

"Rainer Werner Fassbinder is the most dazzling, talented, provocative, original, puzzling, prolific and exhilarating film-maker of his generation. Anywhere..."

— Vincent Canby, New York Times

Fassbinder's *The 3rd Generation*

With Eddie Constantine, Hanna Schygulla, Bulle Ogier, Volker Spengler
A New Yorker Films Release © 1980.

Mit Joan Fontaine, Xaver Schwarzenberger, Rosel Zech und James Stewart bei
der Verleihung des Goldenen Bären für
DIE SEHNSUCHT DER VERONIKA VOSS,
Internationale Filmfestspiele Berlin 1982

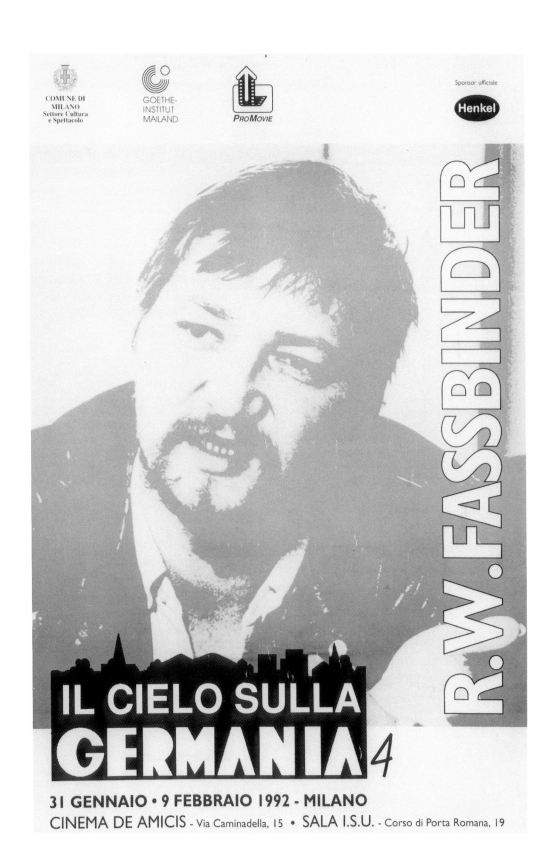

Jeder vernünftige Regisseur hat nur ein Thema, macht eigentlich immer den-selben Film. Bei mir geht es um die Ausbeutbarkeit von Gefühlen, von wem auch immer sie ausgebeutet werden. Das endet nie. Das ist ein Dauerthema. Ob der Staat die Vaterlandsliebe ausbeutet oder ob in einer Zweierbeziehung einer den anderen kaputtmacht. Das kannst Du in immer neuen Variationen erzählen.

Die beiden folgenden Räume illustrieren die aufwendigen Produktionen, die Fassbinder nach BERLIN ALEXANDERPLATZ inszeniert hat: LILI MAR-LEEN (1980), LOLA (1981), DIE SEHNSUCHT DER VERONIKA VOSS (1981) und schließlich QUERELLE (1982). Die Präsentationsform dieser Filme bildet einen Querschnitt aus den bisherigen Ausstellungselementen. Zu allen genannten Filmen sind jeweils Fotos, Produktionsunterlagen, Ausstat-tungselemente und Kostüme versammelt, wobei vor allem zu QUERELLE eine Rekonstruktion der damals von Rolf Zehetbauer auf kleinstem Grundriß in den Berliner CCC-Studios errichteten hochstilisierten und eine eindrucksvoll artifizielle Atmosphäre schaffenden Bauten den sinn-lichen Eindruck dieses Raumes prägt.

Mit Hanna Schygulla und Giancarlo
Giannini während der Dreharbeiten zu
LILI MARLEEN, 1980

Ich halte es für möglich, etwas über den spezifisch deutschen National-sozialismus zu erzählen, indem man einfach herstellt, was daran reizvoll war.
RWF, 1981

Hanna Schygulla und Hark Bohm
in LILI MARLEEN

Mit Rosel Zech,
Anni Nöbauer,
Vladimir Vizner,
Karin Viesel,
Barbara Sukowa
und Xaver
Schwarzenberger
während der
Dreharbeiten
zu LOLA, 1981

Mir geht es ganz extrem darum, perfekte Filme zu machen, die aber über den Weg der Perfektion irgendetwas von einer Wirklichkeit transportieren.
RWF, 1976

*Ich will mit diesem Film [DIE
SEHNSUCHT DER VERONIKA VOSS]
der heutigen Gesellschaft so etwas wie
eine Ergänzung der Geschichte geben.
Unsere Demokratie ist eine damals
für die Westzone verordnete, wir
haben sie uns nicht erkämpft.*
RWF, 1981

Mit Brad Davis während der
Dreharbeiten zu QUERELLE, 1982

Nur wer wirklich mit sich identisch ist, braucht keine Angst vor der Angst mehr zu haben. Und wer keine Angst hat, kann wertfrei lieben; das äußerste Ziel aller menschlichen Anstrengung: sein Leben leben!

Die Filmprojekte, mit deren Vorbereitung Fassbinder sich befaßte, als er am 10. Juni 1982 37jährig in München starb, werden im letzten Raum thematisiert. Neben einem Film mit dem Titel »Ich bin das Glück dieser Erde«, der nach QUERELLE als »kleiner« Film entstanden wäre und zu dem die von Fassbinder erarbeitete Szenenfolge ausgestellt ist, und einem Film über Rosa Luxemburg, zu dem Peter Märthesheimer und Pea Fröhlich das Drehbuch schreiben sollten, war das Projekt »Kokain« nach dem Roman von Pitigrilli am weitesten entwickelt. Von Fassbinder verfaßte Unterlagen wie Szeneneinteilung, Besetzungsliste, Liste der Studiobauten, Treatment und Drehbuch sind zu sehen. Den letzten Eindruck, den die Ausstellung dem Besucher vermitteln will, ist Rainer Werner Fassbinder selbst. Ein Videoband zeigt Ausschnitte, die ihn in Filmrollen zeigen.

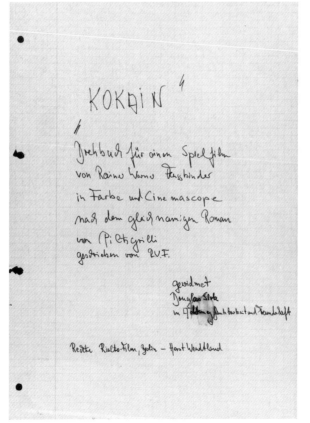

Abgesehen davon, daß es bislang keinen wirklich vergleichbaren Film gibt, der meiner Vorstellung von KOKAIN *ähnlich wäre, so gibt es doch mit* AMARCORD *von Fellini,* SALO *von Pasolini,* IM REICH DER SINNE *von Oshima und meinem 14. Teil von* BERLIN ALEXANDERPLATZ *Filme, die etwas von meiner Vorstellung von* KOKAIN *vermitteln können.*
RWF, 1980

GRAMERCY PARK HOTEL

TWO LEXINGTON AVENUE AT 21ST STREET · NEW YORK 10010 · 212 GR 5-4320 · CABLE: GRAMPARK

1. Unsere Wirklichkeit

2. Die Wirklichkeit der Überlebenden

3. Die Wirklichkeit der Unica Zürn

4. Die geheimnisvolle Welt im Kopf der U. Zürn

5. Die inszenierten Krankenhausaufenthalte in Gegen-
überstellung mit einer „gesunden" Kranken-
schwester.

6. Die Welt des Kindes und seine Träume

7. Literatur machen sehen

Notizen zum Filmprojekt
»Der Mann im Jasmin«, 1982

BAAL, 1969

BOURBON STREET BLUES
Regie: Douglas Sirk, 1977

Faustrecht der Freiheit, 1974

Kamikaze 1989, Regie: Wolf Gremm, 1981

*Ich möchte ein Haus mit meinen
Filmen bauen. Einige sind der Keller,
andere die Wände, und wieder andere
sind die Fenster. Aber ich hoffe, daß
es am Ende ein Haus wird.*
RWF, 1982

Ich habe neulich mal sämtliche
23 Filme im Laufe von vier Tagen
gesehen, da der Hanser-Verlag ein
Buch über sie in Vorbereitung hat.
Vieles in den ersten neun Filmen bis
zu WARNUNG VOR EINER HEILIGEN
NUTTE gefällt mir, ganz einfach
auch deshalb, weil die Filme meine
damalige Situation auch ganz
konkret ausdrücken, und zwar sehr
viel mehr als der einzelne Film.
Wenn man sie im Zusammenhang
sieht, dann wird einem klar, daß sie
von jemandem gemacht wurden, der
da seine Sensibilität, seine
Aggressionen und seine Angst
umsetzt. Aber dennoch rechne ich
diese ersten neun Filme nicht für
richtig, sie sind zu elitär und zu
privat und wurden eigentlich nur für
uns und unsere Freunde gemacht.
RWF, 1976

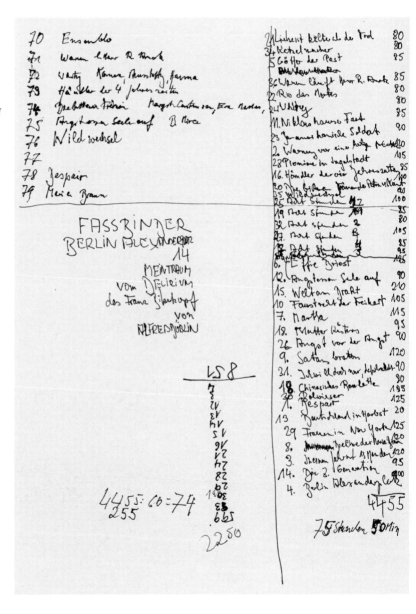

Rainer Werner Fassbinders Gesamtwerk in chronologischer Reihenfolge

Nur wer die Leier spielt,
lernt Leier spielen.
RWF

Titel	Stück/Drehbuch	Regie	Darsteller	Produktion/Medium

1961–1965

Erste kurze Stücke, Gedichte, Kurzgeschichten, Drehbuchübungen, die nicht genau zeitlich zu ordnen sind.

1964-1966

Schauspielschule — Begegnung mit Hanna Schygulla

1965

Titel	Stück/Drehbuch	Regie	Darsteller	Produktion/Medium
1. »Nur eine Scheibe Brot« (lernt Irm Hermann kennen)	RWF		Unveröffentlicht. Gewinnt 1966 den 3. Preis bei einem Dramenwettbewerb	

1966

| 2. »Parallelen« | RWF | | | |

DFFB-Aufnahmeprüfung — Begegnung mit Daniel Schmid

| 3. »Tropfen auf heisse Steine« | RWF | Klaus Weiße | nicht realisiert von RWF — Uraufführung Theaterfestival München M | |

RWF beendet am 31. Mai 1966 die Schauspielschule

4. THIS NIGHT (verschollen)	RWF	RWF		Roser Film 8 mm
5. »Ein Platz für G.«		Willutzki	RWF: Regie-Assistenz	
6. DER STADTSTREICHER	RWF	RWF	RWF (Mann im Pissoir)	Roser Film 16 mm
7. TISCHTENNIS	RWF	nicht realisiert		Fernsehspiel

1967

8. DAS KLEINE CHAOS	RWF	RWF	RWF (Gangster)	Roser Film 35 mm
9. »Der 30. Mai«	RWF mit Susanna Schimkus	nicht realisiert		
10. »Mit Eichenlaub und Feigenblatt«		Spieker	RWF	
11. TONYS FREUNDE (lernt Ulli Lommel kennen)		Paul Vasil	RWF (Mallard)	16 mm

RWF trifft auf die Action-Theater-Gruppe (Straetz, Raben, Raab u. a.)

12. »Antigonae« (Unfall Marite Greiselis)	Brecht/Sophokles	Raben	RWF (Bote)	Action Theater
13. »Leonce und Lena«	Büchner	RWF/Raben	RWF (Valerio)	Action Theater
14. »Die Verbrecher« (Horst Söhnlein zertrümmert die Einrichtung des Theaters — Unfall Ursula Straetz)	Bruckner	RWF	RWF (Kellner Tunichtgut)	Action Theater

1968

15. »Axel Caesar Haarmann«	Kollektiv	Kollektiv		Action Theater
16. »Zum Beispiel Ingolstadt«	Fleißer/RWF	RWF		Büchner Theater
17. »Katzelmacher«	RWF	RWF/Raben		Action Theater
18. »Krankheit der Jugend«	Bruckner	J.-M. Straub	RWF (Freder, der Zuhälter)	Action Theater

Ende Action Theater / Gründung antiteater

Titel	Stück/Drehbuch	Regie	Darsteller	Produktion/Medium
19. »Mockinpott«	Weiss	Schmitt/RWF		antiteater
20. »Orgie Ubuh«	Jarry, RWF, Raben u. a.	RWF		antiteater
21. »Iphigenie auf Tauris«	Goethe, RWF	RWF		antiteater
22. »Ajax«	Sophokles, RWF	RWF		antiteater
23. »Der Amerikanische Soldat«	RWF	Raben/RWF		antiteater
24. Der Bräutigam, die Komödiantin und der Zuhälter		J.-M. Straub	RWF (Freder, der Zuhälter)	Film

1969

Titel	Stück/Drehbuch	Regie	Darsteller	Produktion/Medium
25. »Die Bettleroper« (lernt Harry Baer kennen)	Gay/RWF	RWF		antiteater
26. Al Capone im deutschen Wald		F. P. Wirth	RWF (Heini)	Film
27. »Preparadise sorry now«	RWF	Raben		antiteater
28. Liebe ist kälter als der Tod	RWF	RWF	RWF (Franz Walsch)	antiteater X-Film 35 mm
29. Alarm		D. Lemmel	RWF (Uniformierter)	Film
30. Frei bis zum nächsten Mal		K. Köberle	RWF (Mechaniker)	Film
31. »Anarchie in Bayern«	RWF	Raben/RWF		antiteater
32. »Gewidmet Rosa v. Praunheim«	RWF	RWF		antiteater
33. Katzelmacher	RWF	RWF	RWF (Jorgos)	antiteater X-Film 35 mm
34. Fernes Jamaica	RWF	Peter Moland		antiteater 35 mm

Fassbinder Showdown in Bremen

Titel	Stück/Drehbuch	Regie	Darsteller	Produktion/Medium
35. »Das Kaffeehaus«	Goldoni/RWF	Raben/RWF		Schauspielhaus Bremen

Zwangsschließung der Witwe Bolte

Titel	Stück/Drehbuch	Regie	Darsteller	Produktion/Medium
36. Baal (lernt Margarethe von Trotta und Günther Kaufmann kennen)	Brecht/Schlöndorff	V. Schlöndorff	RWF (Baal)	Schlöndorff
37. »Götter der Pest«	RWF	RWF	RWF (Pornokäufer)	antiteater X-Film 35 mm
38. Sonja und Kirilow haben sich entschlossen, Schauspieler zu werden und die Welt zu verändern (RWF stellt Rest-Negativmaterial von Götter der Pest zur Verfügung)	Straetz, RWF	Straetz		antiteater X-Film 35 mm
39. Warum läuft Herr R. Amok	Fengler/RWF	Fengler/RWF		antiteater/Maran-Film, 16 mm
40. »Werwolf«	Baer/RWF	RWF		antiteater in Berlin (Forum)

Titel	Stück/Drehbuch	Regie	Darsteller	Produktion/Medium
1970				
41. RIO DAS MORTES	RWF	RWF	RWF (tanzt mit Hanna Schygulla)	Janus-Film/ antiteater X-Film 16 mm
42. »Das Kaffeehaus«	Goldoni/RWF	RWF		Schauspielhaus Bremen
43. DAS KAFFEEHAUS	Goldoni/RWF	RWF		WDR, MAZ 2 Zoll
44. DER PLÖTZLICHE REICHTUM DER ARMEN LEUTE VON KROMBACH	Schlöndorff	Schlöndorff	RWF	Hallejujah Film 16 mm
45. SUPERGIRL	R. Thome	R. Thome	RWF (guckt durchs Schaufenster)	R. Thome
46. *Preparadise Sorry Now*	RWF	RWF		SWF, Hörspiel
47. WHITY	RWF	RWF	RWF (Gast im Salon)	Atlantis-Film antiteater X-Film 35 mm
48. DIE NIKLASHAUSER FART (1. Kontakt mit Günter Rohrbach und Peter Märthesheimer)	Fengler/RWF	Fengler/RWF	RWF (Schwarzer Mönch)	Janus Film/ antiteater X-Film/ WDR 16 mm
49. »Warnung vor einer heiligen Nutte«	RWF	nicht aufgeführt		
50. DER AMERIKANISCHE SOLDAT (Heirat mit Ingrid Caven)	RWF	RWF	RWF (Franz)	antiteater X-Film 35 mm
51. WARNUNG VOR EINER HEILIGEN NUTTE	RWF	RWF	RWF (Sascha)	antiteater X-Film/ Nova Int., 35 mm
52. *Ganz in Weiß*	RWF	RWF		BR Hörspiel
53. »Das brennende Dorf«	Lope/RWF	Raben		Schauspielhaus Bremen
54. PIONIERE IN INGOLSTADT	Fleißer/RWF	RWF		antiteater/ Janus Film 35 mm
55. MATTHIAS KNEISSL	Sperr/Hauff	Hauff	RWF (Flecklbauer)	35 mm
1971				
56. »Pioniere in Ingolstadt«	Fleißer/RWF	RWF		Schauspielhaus Bremen
57. »Blut am Hals der Katze«	RWF	Raben/RWF	RWF	antiteater Nürnberg
58. *Iphigenie auf Tauris*	Goethe/RWF	RWF		WDR, Hörspiel
59. »Die bitteren Tränen der Petra von Kant«	RWF	Raben		Experimenta FFM
60. DIE AHNFRAU	nach Grillparzer	Raben	RWF	WDR, MAZ
61. »Haytabo / Eddie geht weiter«		Lommel/ Bamberger	RWF	nicht öffentlich aufgeführt

Titel	Stück/Drehbuch	Regie	Darsteller	Produktion/ Medium
Ende antiteater und antiteater-X-Film — Beginn Tango Film Rainer Werner Fassbinder				
62. HÄNDLER DER VIER JAHRESZEITEN (Scheidung von Ingrid Caven)	RWF	RWF	RWF (Zucker)	Tango Film, 35 mm
63. »Bremer Freiheit«	RWF	RWF		Schauspielhaus Bremen
1972				
64. DIE BITTEREN TRÄNEN DER PETRA VON KANT	RWF	RWF		Tango Film, 35 mm
65. WILDWECHSEL	Kroetz RWF/Raab	RWF		Intertel, 35 mm
66. 8 STUNDEN SIND KEIN TAG (Teil 1 bis 5)	RWF	RWF		WDR, 16 mm
67. *Keiner ist böse und keiner ist gut*	RWF	RWF		BR, Hörspiel
68. BREMER FREIHEIT	RWF	RWF	RWF (Rumpf)	Telefilm Saar, MAZ 2 Zoll
69. FONTANE EFFI BRIEST (1. Drehphase)	RWF	RWF		Tango Film, 35 mm
70. »Liliom«	Molnar	RWF		Theater Bochum
1973				
71. »Bibi«	H. Mann	RWF		Theater Bochum
72. WELT AM DRAHT (2 Teile)	RWF/ Müller-Scherz	RWF		WDR 16 mm
73. NORA HELMER	Ibsen	RWF		Telefilm Saar MAZ 2 Zoll
74. MARTHA	RWF	RWF		WDR 16 mm
75. ANGST ESSEN SEELE AUF	RWF	RWF	RWF (Edgar)	Tango Film, 35 mm
76. FONTANE EFFI BRIEST (2. Drehphase)	RWF	RWF	RWF (Erzähler)	Tango Film, 35 mm
77. ZÄRTLICHKEIT DER WÖLFE	Raab	U. Lommel	RWF (Wittkowski)	Tango Film, 35 mm
78. »Hedda Gabler«	Ibsen	RWF		Freie Volksbühne Berlin
1974				
79. BERLIN HARLEM	L. Lambert	L. Lambert	RWF (sich selbst)	Lambert Film 16 mm
80. FAUSTRECHT DER FREIHEIT	RWF/Hohoff	RWF	RWF (Franz Biberkopf)	Tango Film, 35 mm
81. »Die Unvernünftigen sterben aus«	Handke	RWF		Schauspielhaus Frankfurt

Erste Fassbinder-Retrospektive in der Cinémathèque Paris

Titel	Stück/Drehbuch	Regie	Darsteller	Produktion/Medium
82. WIE EIN VOGEL AUF DEM DRAHT	Hohoff/RWF	RWF		WDR, MAZ 2 Zoll

Intendanz TAT (Theater am Turm — Frankfurt)

Titel	Stück/Drehbuch	Regie	Darsteller	Produktion/Medium
83. »Germinal«	Zola/RWF	RWF		TAT
84. »Onkel Wanja«	Tschechow	RWF		TAT
85. »Die Erde ist unbewohnbar wie der Mond«	RWF	nicht realisiert		

1975

Titel	Stück/Drehbuch	Regie	Darsteller	Produktion/Medium
86. »Fräulein Julie«	Strindberg	Stöckl/RWF	RWF (Jean)	TAT
87. MUTTER KÜSTERS' FAHRT ZUM HIMMEL	RWF	RWF		Tango Film, 35 mm
88. ANGST VOR DER ANGST	RWF (nach A. Scheib)	RWF		WDR, 16 mm
89. »Der Müll, die Stadt und der Tod«	RWF	nicht aufgeführt		

Ende TAT
Fassbinder-Retrospektive New York Film Festival

Titel	Stück/Drehbuch	Regie	Darsteller	Produktion/Medium
90. SCHATTEN DER ENGEL	Schmid/RWF	Schmid	RWF (Raoul)	Albatros, Tango-Film, Artco 35 mm
91. SOLL UND HABEN	geplantes TV-Projekt (NDR), das Drehbuch in Zusammenarbeit mit H. Knopp, wird abgelehnt			
92. ICH WILL DOCH NUR, DASS IHR MICH LIEBT	RWF	RWF		Bavaria/WDR 16 mm

1976

Titel	Stück/Drehbuch	Regie	Darsteller	Produktion/Medium
93. SATANSBRATEN	RWF	RWF		Albatros/Trio Film Tango Film 35 mm
94. CHINESISCHES ROULETTE	RWF	RWF		Albatros/Les Films du Losange Tango Film 35 mm
95. ADOLF UND MARLENE (RWF hat sich von der Endfassung des Films distanziert)		U. Lommel	RWF (Hermann)	Albatros 35 mm
96. »Frauen in New York«	Booth/RWF	RWF		Schauspielhaus Hamburg
97. BOLWIESER (2 Teile) TV (Trennung von Kurt Raab)	RWF	RWF		Bavaria, 16 mm

1977

Titel	Stück/Drehbuch	Regie	Darsteller	Produktion/Medium
98. BOLWIESER — Schnittfassung für Spielfilm	RWF Schnitt	Uraufführung: New York Film Festival 1983 (35 mm aufgeblasen)		
99. FRAUEN IN NEW YORK	Booth/RWF	RWF		NDR, 16 mm
100. DESPAIR / EINE REISE INS LICHT (RWF Schnitt mit Juliane Lorenz)	Stoppard/RWF	RWF		NF Geria Film (Bavaria), 35 mm
101. *Berlin Alexanderplatz*	RWF spricht die Drehbücher für Fernsehserie und Kinofilm auf Band			

Titel	Stück/Drehbuch	Regie	Darsteller	Produktion/Medium
102. DEUTSCHLAND IM HERBST	RWF	RWF	RWF (sich selbst)	Pro-ject Film, Hallelujah Film, Kairos Film, 35 mm
103. BOURBON STREET BLUES	Gruppenprod. HFF, München	Sirk	RWF (Schriftsteller)	HFF, 35 mm
104. DER KLEINE GODARD	Costard	Costard	RWF (sich selbst)	Costard Film, 16 mm
1978				
105. DAS SPIEL DER VERLIERER RWF Montage mit Juliane Lorenz	Hohoff	Hohoff		Tango Film, 35 mm
106. DIE EHE DER MARIA BRAUN (RWF Schnitt mit Juliane Lorenz)	Märthesheimer/ Fröhlich/RWF	RWF	RWF (Schwarz- markthändler)	Albatros/Trio Film/ Tango Film, 35 mm
107. IN EINEM JAHR MIT 13 MONDEN	RWF	RWF		Tango Film, 35 mm
108. »Othello«	RWF beginnt nach Ende der Dreharbeiten »In einem Jahr…« am Schauspielhaus Frankfurt mit den Proben zu Othello. Gibt die Rolle nach den ersten Proben ab. Rolle: Jago. Regie: Palitzsch			
1978–1979				
109. DIE DRITTE GENERATION (RWF: Kamera)	RWF	RWF		Tango Film, 35 mm
1979–1980				
110. BERLIN ALEXANDERPLATZ Teil 1–13 und Epilog (Mischung der letzten Folge am 2.8.80)	RWF	RWF	RWF (Erzähler)	Bavaria/RAI/WDR, 16 mm
1980				
111. LAST TRIP TO HARRISBURG (vormals THE BLUE TRAIN)	Kollektiv	Kier	RWF (Sprecher)	Udo Kier, 16 mm
112. LILI MARLEEN (Schnitt mit Juliane Lorenz)	Purzer/Sinclair	RWF	RWF (Weißenborn)	Roxy/Rialto/CIP, 35 mm
113. *Kokain*	RWF schreibt für Rialto Film / Horst Wendlandt			nicht realisiert
114. *Hurra, wir leben noch*	RWF spricht Drehbuch zum Spielfilm auf Band			nicht realisiert
1981				
115. LOLA	Märthesheimer Fröhlich/RWF	RWF		Rialto/Trio Film 35 mm
116. POLNISCHER SOMMER	Flimm	Flimm	RWF (Babiuch)	WDR, MAZ
117. THEATER IN TRANCE	Texte im Off von A. Artaud	RWF	RWF (Sprecher)	Laura Film, 16 mm
118. QUERELLE	RWF schreibt eigenes Drehbuch zur verfilmten Fassung			
119. KAMIKAZE 89	Katz/Gremm	Gremm	RWF (Polizei- leutnant Jansen)	Ziegler Film, 35 mm

Titel	Stück/Drehbuch	Regie	Darsteller	Produktion/Medium
120. DIE SEHNSUCHT DER VERONIKA VOSS	Märthesheimer/Fröhlich/RWF	RWF	RWF (Kinobesucher)	Laura/Tango/Trio/Maran/Rialto, 35 mm

1982

Titel	Stück/Drehbuch	Regie	Darsteller	Produktion/Medium
121. DIE ERBTÖCHTER	M. C. Questerberg und andere		RWF (sich selbst)	16 mm
122. QUERELLE	RWF	RWF		Planet/Albatros/Gaumont, 35 mm
123. CHAMBRE 666 (N' importe quand)		Wenders	RWF (sich selbst)	Road Movie, 16 mm
124. ICH BIN DAS GLÜCK DIESER ERDE	RWF (Exposé für geplanten Film)			Tango Film
125. Rosa L.	Gedanken zum Exposé Der Ruf der Lerche von Märthesheimer und Fröhlich (Fragmente) Während der Arbeit an diesem Drehbuch starb RWF am 10. 6. 1992.			

WIR NEHMEN SIE ERNST,

denn wir wissen um die Wünsche unserer anspruchsvollen Kunden, die von uns die perfekte und technisch bestmögliche Abwicklung von Präsentationen, Ausstellungen, Veranstaltungen und der Erstellung von Dokumentationen/News erwarten.

ZU RECHT, WIE WIR MEINEN

Hierbei möchten wir Sie kompetent, schnell und tatkräftig unterstützen. GATE ist Ihr Ansprechpartner, wenn es um Einsatz von AV-Medien geht.

Unser Ziel ist die Komplettabwicklung jedes Auftrages und jeder Anfrage.

Zum Vorteil unserer Kunden – und damit zu Ihrem eigenen Nutzen.

Hier ein Teil unseres Angebotes:

◆ Video- und Datengroßbildprojektionen (Talaria)
◆ Eidophorprojektoren
◆ Komplette EB-Einheiten in Betacam SP, U-Matic SP und Hi-8
◆ Eine große Anzahl von Sony Monitoren der PVM-Serie
◆ VHS-, S-VHS-, HI-8, U-Matic- und Betacam SP Player/ Recorder

◆ VHS-, S-VHS-, U-Matic- und SP Schnittplätze
◆ Hochauflösende Monitorwände und Vidiwalls
◆ Beschallungsanlagen in (fast) jeder Größe und Mikroportanlagen

Unser Gerätepool ist selbstverständlich ständig auf dem neuesten Stand und bei uns kommen nur die technisch ausgereiftesten- und zuverlässigsten Systeme von weltweit führenden Herstellern wie u. a. von Sony, Sennheiser, Meyer, Neumann, Ikegami, Brähler, FOR A ect. zum Einsatz.

Wir bieten Ihnen jedoch nicht nur die Vermietung von Hardware.

GATE das bedeutet:
BERATUNG · PLANUNG · VERMIETUNG · BETREUUNG · SERVICE

ALLES AUS EINER HAND

So können Sie z. B. die Erfahrung unserer Servicetechniker nutzen. Wenn Sie es wünschen, betreuen wir Sie rund um die Uhr 24 Stunden am Tag, 365 Tage im Jahr (auch in den neuen Bundesländern), damit Ihr Messestand, Ihre Produktpräsentation oder Ihre Verkaufsförderung ein voller Erfolg wird.

Wir würden uns freuen, Ihnen einmal persönlich unseren Komplettservice vorzustellen zu dürfen.

PS: Bei Reparaturen sorgt besonders unsere Partnerschaft und räumliche Nähe zur Sony Deutschland GmbH, NL Berlin für schnelle Reaktionszeiten und äußerste Flexibilität.

Für Fragen und weitere Informationen stehen Ihnen unsere beiden Geschäftsführer Hr. Marcus Zurdo und Hr. Frank Hahn, gerne und jederzeit zur Verfügung.

GENERAL AUDIO & TELEVISION EQUIPMENT GMBH
PRÄSENTIEREN, INFORMIEREN UND KOMMUNIZIEREN MIT SYSTEM

Mercedes-Benz

BDZ

BAVARIA DESIGN ROLF ZEHETBAUER GMBH

THIS NIGHT – DER STADTSTREICHER – DAS KLEINE CHAOS – LIEBE IST KÄLTER ALS DER TOD – KATZELMACHER – GÖTTER DER PEST – WARUM LÄUFT HERR R. AMOK? – RIO DAS MORTES – WHITY – DIE NIKLASHAUSER FART – DER AMERIKANISCHE SOLDAT – WARNUNG VOR EINER HEILIGEN NUTTE – PIONIERE IN INGOLSTADT – HÄNDLER DER VIER JAHRESZEITEN – DIE BITTEREN TRÄNEN DER PETRA VON KANT – WILDWECHSEL – ACHT STUNDEN SIND KEIN TAG – BREMER FREIHEIT – WELT AM DRAHT – MARTHA – ANGST ESSEN SEELE AUF – FONTANE EFFI BRIEST – FAUSTRECHT DER FREIHEIT – WIE EIN VOGEL AUF DEM DRAHT – MUTTER KÜSTER'S FAHRT ZUM HIMMEL – ANGST VOR DER ANGST – ICH WILL DOCH NUR, DASS IHR MICH LIEBT – SATANSBRATEN – CHINESISCHES ROULETTE – BOLWIESER – FRAUEN IN NEW YORK – DESPAIR - EINE REISE INS LICHT – DEUTSCHLAND IM HERBST – DIE EHE DER MARIA BRAUN – DIE DRITTE GENERATION – IN EINEM JAHR MIT 13 MONDEN – BERLIN ALEXANDERPLATZ

Bei uns stehen Sie nicht unter der Laterne wie „Lili Marleen“!
Die Mitglieder aus der DIAL BERLIN GRUPPE machen es
Ihnen bequem: Beim Wohnen, Tagen, Tanzen oder Get-Together.

Berlin Hilton
Mohrenstr. 30, O-1080 Berlin
Tel. 030/23 82-0, Fax 23 82-42 69
357 Zimmer incl. 17 Appartments,
Konferenz- und Bankettäume für bis
zu 400 Personen, 8 Restaurants, Swim-
ming Pool, Sauna, Kegelbahn, Squash,
Buchungskategorie A

Berlin Penta Hotel
Nürnbergerstr. 65, 1000 Berlin 30
Tel. 030/210 070, Fax 213 20 09
425 Zimmer, 7 Konferenzräume für
bis zu 120 Personen, 2 Restaurants,
Bar, Sauna, Swimming Pool,
Buchungskategorie B

Bristol Hotel Kempinski Berlin
Kurfürstendamm 27, 1000 Berlin 15
Tel. 030/884 340, Fax 883 60 75
315 Zimmer incl. 52 Suiten, 8 Konfe-
renz- und Bankettäume für bis zu 600
Personen, 3 Restaurants, 2 Bars,
Swimming Pool, Fitness-Center, Park-
garage, Buchungskategorie A

Grand Hotel Berlin
Friedrichstr. 158-164, O-1080 Berlin
Tel. 030/23 270, Fax 23 27 33 61/62
350 Zimmer incl. 35 Suiten, 7 Konferenzräume für bis zu 120 Personen, 7
Restaurants, 2 Bars, Livemusik, Swimming Pool, Fitness-Center, Wintergar-
ten, Sommerterasse, Squash,
Buchungskategorie A

Hotel Berlin
Lützowplatz 17, 1000 Berlin 30
Tel. 030/26 050, Fax 260 527 15
490 Zimmer incl. 21 Suiten, 17 Konfe-
renz- und Bankettäume für bis zu
1500 Personen, Restaurant, Bar, Pub,
Sauna, Fitness-Center, Schönheitssa-
lon, Einkaufsarkaden, Parkplatz,
Buchungskategorie B

Hotel Inter-Continental
Budapesterstr. 2, 1000 Berlin 30
Tel. 030/260 20, Fax 262 96 30
580 Zimmer incl. 70 Suiten, 16 Konfe-
renz- und Bankettäume für bis zu
1500 Personen, Videokonferenzsystem

über Satellit, 3 Restaurants, 2 Bars,
Swimming Pool, direkter Zugang zum
Tiergarten, Buchungskategorie A

Hotel Metropol Berlin
Friedrichstr. 150-153, O-1086 Berlin
Tel. 030/203 070, Fax 391 91 08
340 Zimmer, Konferenzräume für bis
zu 150 Personen, 2 Restaurants, Bar,
Sommerterrasse, Swimming Pool,
Sauna, Solarium, Buchungskategorie B

Hotel Palace Berlin
Im Europa-Center, 1000 Berlin 30
Tel. 030/254 970, Fax 262 65 77
252 Zimmer incl. Suiten, 7 Konferenz-
und Bankettäume für bis zu 1400 Personen, 4 Restaurants, Bar, Thermen,
Sauna, Fitness-Center und Einkaufsarkaden im anliegenden Europa-Center,
Buchungskategorie B

Hotel Schweizerhof Berlin
Budapester Str. 21-31, 1000 Berlin 30
Tel. 030/26 96-0, Fax 269 69 00
430 Zimmer incl. 26 Suiten, 16 Konfe-
renz- und Bankettäume für bis zu 700
Personen, 2 Restaurants, 2 Bars, Pub,
Swimming Pool, Buchungskategorie B

Palasthotel Berlin
Karl-Liebknecht-Str. 5, O-1020 Berlin
Tel. 030/238 28, Fax 238 275 90
600 Zimmer incl. 40 Suiten, Konfe-
renz- und Bankettäume für bis zu
1000 Personen, 3 Restaurants, 3 Bars,
Café, 6 Salons, Fitness-Club, Sauna,
Friseur, Geschenke-Shop, Garage,
Buchungskategorie B

Steigenberger Berlin
Los Angeles-Platz 1, 1000 Berlin 30
Tel. 030/210 80, Fax 210 81 17
397 Zimmer incl. 11 Suiten, Konfe-
renz- und Bankettäume für bis zu 600
Personen, 2 Restaurants, 3 Bars,
Piano-Bar mit Livemusik,
Buchungskategorie B

BBS Berliner Bären Stadtrundfahrt
Rankestr. 35, 1000 Berlin 30
Tel. 030/213 70 91, Fax 213 73 54
Sightseeing für Einzel- und Gruppen-

reisende, Incentive Reisen, Stadtrund-
fahrten, City-Packages,
Transporte aller Art

CPO Hanser Service GmbH
Schaumburgallee 12, 1000 Berlin 19
Tel. 030/305 31 31, Fax 305 73 91
Incentive- und Reiseveranstalter

K.I.T. Congresse-Incentive-Tours
Kurfürstendamm 26a, 1000 Berlin 15
Tel. 030/883 60 24, Fax 882 50 66
Reise- und Programmveranstalter,
Incentives, Touren in Berlin und
Umland

**Severin + Kühn, Berliner Stadt-
rundfahrt**
Kurfürstendamm 216 , 1000 Berlin 15
Tel. 030/883 10 15, Fax 882 56 18
Reise- und Incentive-Veranstalter,
Tagungen, Kongresse

Spielbank Berlin Casino
Im Europa-Center, 1000 Berlin 30,
Tel. 030/25 00 89-0, Fax 261 41 29
Roulette, Black Jack, Poker, Automa-
ten, Restaurant, Bar

Auf nach Berlin zu Szene, Kultur
und buntem Leben.
DIAL BERLIN – WÄHLEN SIE!

Lebens Art –
Kempinski Berlin.

BRISTOL HOTEL
Kempinski Berlin

Rainer Werner Fassbinder
"Geiselgasteig war
sein Hollywood"
Wolfram Schütte 1985

Mit der Bavaria realisierte er:
BOLWIESER
ICH WILL DOCH NUR, DASS IHR MICH LIEBT
EINE REISE INS LICHT - DESPAIR
DIE SEHNSUCHT DER VERONIKA VOSS
BERLIN ALEXANDERPLATZ
LILI MARLEEN
LOLA

Bavaria Film